かかりつけ医シリーズ① 新版

医療評価ガイド編集部 編著

女性のための
かかりつけ医
広島

乳がん
産科・婦人科
不妊診療

南々社

あなたの主治医を見つけるために

医療評価ガイド編集部

かかりつけ医シリーズが新版に

　本書は、2017 年に刊行された『迷ったときのかかりつけ医 広島』シリーズ①「乳がん／産科・婦人科／不妊診療」の新版です。既刊シリーズに引き続き、地域に密着した診療所（開業医）や病院のかかりつけ医に焦点を当てています。

　新版では、**1．表紙カバーを一新、2．誌面をコンパクトで読みやすいデザインに、3．クリニックの強みを分かりやすく紹介、4．施設のDATA と MAP を掲載**して、より便利に使いやすくなっています。

患者目線の「良いかかりつけ医や病院」がわかる

　本書では、医療評価ガイド編集部が広島の総合病院や診療所など複数の医師を取材。信頼できる**「乳がん」「産科・婦人科」「不妊診療」**などの医師や施設を推薦してもらい、地域性なども考慮して選んだ、23 の医療施設のかかりつけ医や病院を紹介しています。

　推薦基準は、「医師本人やその家族が病気になったときに診てもらいたい、かかりつけ医」です。23 の医療施設へのインタビューを通して、具体的な診療内容やポリシー（診療方針）、医師の略歴や横顔、各施設が精通する治療について、紹介しています。

　もちろん、本書に掲載した医師のほかに、広島県内には多くの優れたかかりつけ医や病院があります。本書は、あくまでも編集部の「一つの見方」にすぎません。

　良い医師を見つける目を養い、**「患者力」を高め、自分に合った信頼できるかかりつけ医や病院を選ぶ参考書**として、ご活用ください。

1

女性が不安なく、生き生きと生活できるように

　乳がん、子宮がん、子宮筋腫、子宮内膜症、生理不順など女性の気になる病気、そしてお産、不妊…。なかなか相談できず、不安を抱えながら生活されている女性は多いのではないでしょうか。女性の社会進出がめざましく、仕事を持つ女性が多い現代は、一人で悩みを抱えている方もいるでしょう。

　何でも相談できる、良いかかりつけ医をもち、定期的な検診を受けることで、疾患の早期発見につながります。疾患が早く見つかれば、きちんと治療ができ、早期に元の生活へ戻ることもできます。また、お産や不妊についても、不安に寄り添ってくれるかかりつけ医がいれば、どれほど心強いことでしょう。

　地域に密着したかかりつけ医は、総合病院との緊密な連携をもっています。良いかかりつけ医をもつことで、診療もスムーズになり、一人ひとりに適した医療の提供が可能になります。女性が生き生きと生活を続けるために、かかりつけ医の役割はますます重要となっています。

　本書では、広島地域で各領域（乳腺、婦人科疾患、不妊）の診療に精通する総合病院の専門医たちが、かかりつけ医との連携や上手なかかり方などについてもアドバイスしています。また、県内の最新治療と動向をやさしく解説しています。

医師たちの診療内容やポリシー、横顔がわかる！

　かかりつけ医や病院の専門医は、日々、どんな想いで診療に取り組んでいるのでしょうか。

　いま、限られた医療資源（医療人、医療機器、薬剤など）を有効活用するために、かかりつけ医と総合病院の専門医との役割分担がいっそう求められています。

　本書では、かかりつけ医や病院の特徴・実績だけでなく、専門医の人となりやポリシー、患者への向き合い方、具体的な診療の特色、病院間の連携などについても紹介しています。

本書「女性のためのかかりつけ医」編の主な掲載分野

○**乳がん**／乳房の診療、マンモグラフィ検査、乳腺超音波（乳腺エコー）検査、細胞診、組織診、手術後のフォローアップ など

○**産科**／妊婦健診、出産管理、産科手術 など

○**婦人科**／子宮内膜症、子宮筋腫、卵巣腫瘍、子宮体がん、子宮頸がん、月経痛、更年期障害 など

○**不妊診療**／不妊検査、一般不妊治療、高度不妊治療、不育症治療 など

これらの分野に関して、県内23施設の医師たちが、最新診療（検査・治療・予防法・病診連携など）について詳しく解説！

※一部の医療機関のデータ欄に掲載している「診療科目」の表は、「女性の病気」以外で標ぼうしている診療科についても記載しています。

「乳腺診療」 ●座談会●
乳腺専門医が考える、良いかかりつけ医へのかかり方

舛本 法生 （広島大学病院 乳腺外科 診療講師、司会・進行）

川野 亮 （かわの医院 院長）

香川 直樹 （香川乳腺クリニック 院長）

長野 晃子 （ひろしま駅前乳腺クリニック 院長）

矢野 健太郎 （こころ・やのファミリークリニック 院長）

秋本 悦志 （秋本クリニック 院長）

パート2 産科・婦人科 *エリアごとの五十音順

パート3　不妊診療 ＊エリアごとの五十音順

●解説●

不妊治療の現状と最新の動向
県立広島病院 生殖医療科　主任部長　**原　鐵晃**

赤ちゃんを望むお二人の笑顔のために

一般不妊治療から高度生殖医療まで幅広い対応でサポート

パート4　検診施設 ＊エリアごとの五十音順

全員女性スタッフで対応する、女性限定のレディースデイが好評

早期発見・早期治療につなげる検診で、地域の健康をサポート

個人個人に合わせた適切な検診が受けられる

本書に出てくる用語のかんたん解説

●マンモグラフィ検査

　乳房専用のX線（レントゲン）撮影装置を使った検査で、乳がん早期発見のための重要な画像診断の一つ。乳がんの診断に有用な微細な石灰化（死んだ細胞にカルシウムが沈着した状態）や、セルフチェック、触診ではわかりにくいしこり（腫瘤）などを検出する。

●高濃度乳腺（高濃度乳房、デンスブレスト）

　乳房は主に乳腺組織と脂肪組織から構成されている。マンモグラフィ検査を行った際、乳腺と脂肪の割合や分布によって、「脂肪性」「乳腺散在」「不均一高濃度」「極めて高濃度」の４種類に分類される。乳腺組織が多い後者二つを高濃度乳腺と呼び、若年ほど割合が多い（病変ではなく、体質）。高濃度乳腺ではマンモグラフィでの腫瘤の検出が困難な場合がある。

●乳腺超音波（乳腺エコー）検査

　乳腺（乳房）用の超音波診断装置を使った検査で、しこりの状態を調べる。乳房に超音波を発する端子（プローブ）を当て、映し出される画像から腫瘤を発見する。マンモグラフィと違い放射線による被曝がなく、痛みもほとんどない。高濃度乳腺でマンモグラフィでの検出が困難な場合も、腫瘤を同定できる場合がある。

●細胞診

　病変から採取した細胞から、顕微鏡を使ってがんの有無を調べる検査。穿刺吸引（針を刺す）や分泌物（乳頭付近）などの方法があり、推定診断として行われる。

●針生検

　組織診の一つで、注射針よりも太い針をしこりに刺して組織を採取し、がんの有無を調べる確定診断として行われる。

●マンモトーム生検

　組織診の一つで、針生検よりもさらに太い針を刺し、より多くの組織を採取する。針生検よりも正確な診断を得る場合に行われる。

●腫瘍マーカー

　がん細胞が体内にある場合、それらが生成したり、反応したりして作り出され、血液中に増加する物質。その物質を測定して、さまざまながんのサインを調べる。がんの進行状況の検査や、がんの治療効果の判定、再発や転移の早期発見に利用する。

●リンパ浮腫

　体に溜まった老廃物を運搬するリンパ管の機能が低下し、余分な水分が腕や足に溜まることによって生じるむくみのこと。乳がんなどのがん手術後にリンパ節を切除することで、リンパ管が滞って発症することが多い。

パート1
乳腺診療

パート1
乳腺診療

パート2
産科・婦人科

パート3
不妊診療

パート4
検診施設

▲● 解説　乳腺診療

乳がんにおける
「かかりつけ医」の役割とは？

広島大学病院 乳腺外科　診療准教授
角舎 学行（かどや・たかゆき）

［経歴］1992年広島大学医学部卒。米国マウントサイナイ医科大学留学（博士研究員）、中国労災病院、県立広島病院などを経て、2011年広島大学病院乳腺外科講師。2013年より現職。医学博士。日本乳癌学会、日本乳癌検診学会、日本オンコプラスティックサージャリー学会各評議員。NPO法人ひろしまピンクリボンプロジェクト理事長。
［資格］日本乳癌学会認定乳腺専門医、日本外科学会認定外科専門医。

乳がんは、マンモグラフィ検診での異常やしこりなどの症状に気づいてクリニックを受診し、診断されるケースが最も多いと思います。この流れについては、「広島乳がん医療ネットワーク」（https://www.pref.hiroshima.lg.jp/site/gan-net/iryou-network-nyu.html）（図1）により、検診、精密検査、手術などの流れがスムーズにいくように整備されています。

乳がんと診断されると、手術、化学療法、放射線治療などをがん拠点病院で行いますが、その後は再び、がん拠点病院とクリニックで連携を取りながらフォローアップしていただくことになります。多くの場合、乳がんを診断してくれたクリニックが患者さんの「かかりつけ医」になりますが、良い乳がんかかりつけ医の条件として、

（1）乳がんを正しく診断してくれること

（2）きちんとフォローアップしてくれること

（3）悩みに対して親身に相談にのってくれること、などが挙げられます。

ここでは、良い乳がんかかりつけ医について詳しくご説明します。

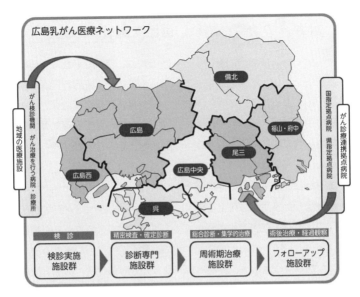

図1　広島乳がん医療ネットワーク

乳がんの診断が上手な医師を選びましょう

　乳がん検診は、「2年に一度のマンモグラフィ検診」が標準で、マンモグラフィで異常を指摘されれば超音波検査を行います。乳がんの術後フォローアップも同様です。ですからかかりつけ医は、乳がんの診断が上手な医師が望ましいです。

　マンモグラフィについては、「検診マンモグラフィ読影認定医師」という資格（https://www.qabcs.or.jp/mmg_d/list/）があり、超音波検査にも「乳がん検診超音波検査実施・判定医師」という資格（https://www.qabcs.or.jp/us/d_list/）があります※。この資格を持っていれば「きちんと乳がんを診断できる」といって良い

と思いますので、お近くの施設でお探しください。また、「かかりつけ医 広島 評価ガイド」のHP（https://hiroshima-dr.jp/）もご覧ください。

　マンモグラフィや超音波検査で異常を認めたら、針生検を行います。針生検には、細い針で細胞を取る「細胞診」と、比較的太い針で組織を取る「組織診」があります。確定診断のためには「組織診」が必要ですが、どちらを行うかは医師の判断によります。一度乳がんができた人は、また乳がんができやすいので、注意深くフォローアップしてもらう必要があります。

※いずれも、特定非営利活動法人 日本乳がん検診精度管理中央機構（https://www.qabcs.or.jp/）認定。

11

乳がんの治療に詳しい医師を選びましょう

乳がんの治療には手術、放射線治療、化学療法、分子標的療法、ホルモン療法があり、それぞれ副作用もあります。

化学療法の副作用には手のしびれや浮腫（ふしゅ）など、終了してから数年間続くものもあります。また、ホルモン療法は5〜10年間の長期間行いますから、ほてりや発汗などの更年期症状や骨粗しょう症などを上手にコントロールして、治療を継続する必要があります。

そのため良いかかりつけ医には、薬物療法のみならず放射線治療、手術など広い範囲の知識、経験が必要です。日本乳癌学会が認めている「乳腺専門医」は、手術、ホルモン療法、化学療法などさまざまな治療について深い知識、理解があり、安心して治療を任せることができるといえます。

県内の乳腺専門医は日本乳癌学会のHP（http://jbcs.gr.jp/member/aboutus/senmonilist/）から検索することができます。通常、大きながん診療連携拠点病院には乳腺専門医がいます。また、クリニック（かかりつけ医）にも乳腺専門医はたくさんいます。

しっかり話を聞いてくれる医師を選びましょう

乳がんの術後、手術をした病院とのつきあいは10年で終わりますが、かかりつけ医とのつきあいはほぼ一生続きます。乳がんのフォローアップだけでなく、生活習慣病や骨粗しょう症などを引き続き診てもらうこともあるでしょう。また、自分の健康だけでなく家族の健康や病気の相談をした

りすることもあると思います。ですから、しっかり話を聞いて相談にのってくれる医師を選ぶのが良いでしょう。質問をしたいのに聞いてくれない、嫌な顔をされるようであれば、長く付き合っていくことは難しいですよね。どんな医師か、評判をよく聞いて、選んでください。

乳がんのことをしっかり勉強しましょう

広島県は乳がん患者さんにとって良い社会環境が整っています。例えば、乳がん治療に携わる医師、薬剤師、看護師、臨床心理士などが毎月、「まちなかリボンサロン

（https://pinkribbon-h.com/category/machinaka/）」（写真）という乳がんサロンを開催しています。ここには、平均して70〜80人の患者さんが参加され、乳が

「まちなかリボンサロン」開催の様子

んに関する講演とともに患者さん同士での情報交換ができます。また年に1回、「ひろしま乳がんアカデミア」が開催され、標準治療から最先端の治療、未来の治療にいたるまで、詳しく勉強することができます。

さらに、広島県には若い患者さんの妊孕性（妊娠できる能力）温存のために上限20万円までの助成制度がありますし（https://www.pref.hiroshima.lg.jp/site/gan-net/ninyouseionzontiryou-josei.html）、いくつもの乳がん患者会もあり（https://www.pref.hiroshima.lg.jp/site/gan-net/muki-muki4.html）、各地でサポートを行っています。

サロンやアカデミアに参加できない方のためには、インターネットで乳がんのことを質問できるサイト「乳がんいつでもなんでも相談室」もあります（https://pinkribbon-h.com/qa/）（図2）。治療について悩んでおられる方、乳房にしこりを見つけた方や乳がんと診断された方など、どなたでも匿名で広島県内の専門家に相談することができますから、ぜひ一度のぞいてみてください。

本書に掲載されている先生方は、みなさん素晴らしい乳がんのかかりつけ医です。「乳がんではないだろうか？」「しこりがあるけど……」など、乳がんのことが心配になったら、早めの受診をお勧めします。

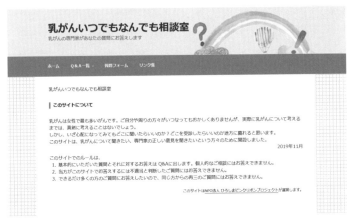

図2 「乳がんいつでもなんでも相談室」
　　（NPO法人ひろしまピンクリボンプロジェクト）

広島市中区

クリニックビル内で連携。乳腺診療を総合的にサポート

香川乳腺クリニック

香川 直樹 院長

主な診療内容

○乳がん精密検査、診断

○乳がん治療

○術後のフォローアップ

クリニックの強み

○乳がんの検診、診断、治療、術後後遺症対策、メンタルまでトータルで医療提供

○「乳がん患者交流サロン」と「乳がんガイドライン勉強会」を定期的に開催

○開院以来7期連続で日本乳癌学会認定施設

診療時間	月	火	水	木	金	土	日
9：00〜13：00	○	○	○	○	○	○	休診
15：00〜18：00	○	○	○	休診	○	休診	休診

＊祝日は休診　＊土曜／広島大学病院の乳腺専門医（角舎学行、笹田伸介）2人体制で診療
＊予約制　＊臨時休診あり

住　所　広島市中区三川町 1-20
　　　　　ピンクリボン 39 ビル 6F

TEL　082-240-1181

HP　http://www.hiroshimabreastcenter.
　　　co.jp/nyusen/

駐車場　提携駐車場あり（ヒロシマパーキング、
　　　　広島セントラルパーキングの 1 時間無料
　　　　サービス券をお渡しします）

● 広島市中心部・中央通り沿いにあるクリニックビル「ピンクリボン39ビル」は、ビル全体が「広島ブレストセンター」として機能している。その中心的役割を果たしている同院は、ビル6階にある乳がんの診断・治療専門クリニック。5階の乳がん検診専門クリニック（中央通り乳腺検診クリニック）、8階の総合的な検診クリニック・内科（あおぞら健診・内科クリニック）と連携し、地域の多くの女性たちと乳がん患者を支えている。

クリニックの概要

診療科目と領域

　"乳腺診療"という同じ目的を持つ、複数の独立したクリニックが1つのビルの中に集まり、連携して医療を提供している「ピンクリボン39ビル」。ビル全体で、乳がんの検診、診断、治療（周術期治療を除く）、術後後遺症対策、メンタルケアまでのトータルな医療を提供。患者にとって非常に利便性が高く、乳がん患者が急増する中で拠点病院の負担も減り、2008年のオープン以来、地域の乳がん医療に大きく貢献している。

　同院は乳がんの診断と、手術・放射線治療以外の治療を担っており、検診で乳がんが疑われた患者の精密検査を行う。その結果、乳がんと診断したら、基幹病院へ紹介し、術後のフォローアップに対応している。

診療ポリシー

　香川院長は、1997年から11年間、県立広島病院に外科医として勤務し、後半の約5年間は乳腺を専門に担当。ほかのがんと違い、乳腺外科医は乳がんの入口である検診から、外来、診断、手術、薬物療法、看取りまで一人で関わる。

　年間を通して多くの乳がん手術を手がけながら、すべてをこなした県立病院時代の医療現場はまるで戦場だったという。開業した理由の1つに、「しっかり時間をとって乳がんの詳しい説明をすることで、患者の不安を払拭できるような外来の体制を整えたかった」ことがある。総合病院ではできなかったことを、現在実現している。

香川院長とスタッフ

診療の特色・内容

肥満や女性ホルモンが乳がんのリスクに

がんの中で国内の女性が罹患する割合が最も高いのが、乳がんである。最近では、女性が一生のうちに乳がんになる割合は11人に1人といわれている。院長は「乳がんの原因は、遺伝、図のように食事なども含めた生活習慣、女性ホルモンの3つがあります」と話す。特に昨今、初潮の若年化、閉経の晩年化、少子化などの影響で女性ホルモンと関わる時期が以前と比べて長くなっていることが、乳がんの増加に大きく影響しているという。

また、閉経後の肥満も乳がんのリスクが高く、運動不足やたばこなども乳がんと大きく関係する。5kg以上太らなければ、薬（ホルモン療法）を5年間飲み続けるのに匹敵するほど、乳がんの再発リスクを抑えられるという。

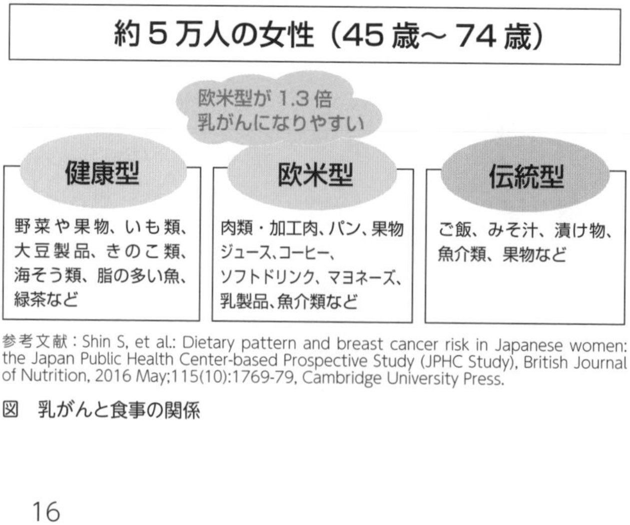

豊富な経験をもとに、確実な診断をめざす

同院は検診施設ではないため、マンモグラフィ検査は同ビル内の専門クリニックに依頼している。マンモグラフィの検査データは、検診専門クリニックの女性医師と院長の2人で必ずダブルチェック（二重読影）し、確実な診断をめざす。

検査結果は、患者にとって待っている間が最も不安なため、当日に渡して心理面の負担を少なくしている。乳腺エコー（超音波検査）はハイグレード機種を2台設置し、効率良く診療を進める一方で、病状説明などには時間をかけて詳しく説明する。

マンモグラフィ、エコーの各検査結果によって、さらに詳しい組織検査が必要な場合は、過剰な検査に配慮しながら、細胞診、針生検、マンモトーム生検を選択。早期のもので、判別が難しい非常に小さな腫瘍でも、院長の豊富な臨床経験を生かし、診断している。

同院では手術や放射線治療は行っていないため、がん拠点病院に紹介し、院長に手術に入ってほしいという患者の希望があれば、県立広島病院を紹介して手術

約5万人の女性（45歳〜74歳）

欧米型が1.3倍
乳がんになりやすい

健康型	欧米型	伝統型
野菜や果物、いも類、大豆製品、きのこ類、海そう類、脂の多い魚、緑茶など	肉類・加工肉、パン、果物ジュース、コーヒー、ソフトドリンク、マヨネーズ、乳製品、魚介類など	ご飯、みそ汁、漬け物、魚介類、果物など

参考文献：Shin S, et al.: Dietary pattern and breast cancer risk in Japanese women: the Japan Public Health Center-based Prospective Study (JPHC Study), British Journal of Nutrition, 2016 May;115(10):1769-79, Cambridge University Press.

図　乳がんと食事の関係

抗がん剤治療室

に立ち合うことも。手術後は同院へ戻って、抗がん剤治療やホルモン療法を受けることができる。再発した患者に対しては、「何を一番優先したいか」をまずは問いかける。長生きしたいのは当然として、その次に何を大事にしたいかを聞き、ベストと思われる治療法や薬の種類を考える。

リンパ浮腫の予防にも尽力

　院長が力を入れているのが、術後のリンパ浮腫予防。リンパ浮腫は、かつては病名さえなく放置されていた時代が長かった。開業した2008年に広島リンパ浮腫研究会を立ち上げて、県内各地で患者啓発のための勉強会や医療スタッフを対象とした研修を開催し、「リンパ浮腫は予防できる。予防することが大切」と啓発に努めている。予防のポイントは、「スキンケア」「感染を起こさない」「リンパの流れを滞らせない」「体重を増やさない」「リハビリをする」など。

　同ビル内には、乳がんに関する正しい情報提供を行うため、定期的なセミナーや勉強会を開催する患者交流サロンが併設されているが、リンパ浮腫の勉強会についても年2回開かれている。

妊娠・出産へのサポート

　以前は、乳がん患者の妊娠・出産は禁忌（タブー）だったが、現在では、世界的に妊娠・出産が再発率を上げるわけではないことが分かってきた。

　同院では、抗がん剤やホルモン治療をクリアした人、もしくは、がんのタイプや病期によって再発リスクがそれほど高くないと判断されれば、いったん治療を中断し、妊娠・出産後に治療を再開することができる。乳がんが若い女性にも増加していること、乳がんの生存率が良いことが、患者の妊娠・出産を可能にしているという。これまでに、同院の乳がん患者で出産した人は15人で、1つのクリニックとしては多い数といえる。

院長診察風景

元通りの生活への復帰を支援

　院長は妊娠・出産だけでなく、患者が元通りの生活へ復帰するための支援にも力を入れている。がんになったことで落ち込み、さまざまなことをあきらめる女性がいるが、そんな人を励ましながら、時間をかけて、元の生活をめざしてサポートする。「元の仕事をまた始めました」「妊娠出産できました」。そんな報告を聞けるときが、院長が診療をしていて最もうれしい瞬間だという。

DATA

診療科目	診療・検査内容
乳腺診療	超音波（乳腺エコー）検査、精密検査（細胞診、組織診）、手術後のフォローアップ治療（抗がん剤治療、ホルモン療法、薬物療法）
沿革	2008 年開院
スタッフ	医師 3 人（うち非常勤 2 人）、看護師 5 人、医療事務 3 人 [2020 年 6 月時点]
設備	乳房用超音波画像診断装置
認定	日本乳癌学会認定施設、広島乳がん医療ネットワーク精密診断・フォローアップ治療施設
連携病院	広島大学病院、広島市民病院、県立広島病院 など
実績	診断した乳がん症例数／77 例、フォローアップ症例数／1398 例、薬物療法／882 例（うち、抗がん剤 47 例、分子標的薬 34 例、ホルモン療法 840 例、※それぞれの治療は単独で行わないことがあります）、細胞診／167 例、組織診／62 例 [以上、2019 年 1 月〜 12 月] 診断した乳がん症例数／1361 例、フォローアップ症例数／1751 例 [以上、2008 年 6 月（開業）〜 2019 年 12 月]
特記事項	・手術後のフォローアップ症例は開業以来 1751 例 ・乳がん患者で妊娠・出産した人は開業以来 15 人

PROFILE

香川 直樹　院長
（かがわ・なおき）

経　歴		1986年広島大学医学部卒。同大第二外科入局。1997年〜2008年県立広島病院勤務（乳腺外科医）。2008年同一般外科部長を辞して、香川乳腺クリニック開院。医学博士。日本リンパ浮腫学会評議員。
資　格		日本乳癌学会認定乳腺専門医、日本外科学会認定外科専門医
趣　味		ダイビング、釣り、楽器（三線、ウクレレ）演奏
モットー		笑う門には福来る。シンプルイズベスト

院長の横顔

中学1年のとき、父を目の前で亡くした。そのとき、救急車よりも早く駆けつけてくれた地元の開業医の姿が強く印象に残り、自分の将来像と重なった。院長の医師としての原点はそこにある。

乳がんで命を落とさないために必要なのは、検診で早期発見すること。それを多くの人に知ってもらうため、広島ブレストセンターをつくり、これまで1000例以上の患者を送り出してきた。「がんで落ち込んでいた女性が再び輝きを取り戻す手助けができれば、医師としてこれ以上の喜びはありません」

院長からのメッセージ

乳がんから大切な命を守るためには、早期発見ときちんとした治療が大切です。早期発見には、定期検診を受けることが良いのですが、受診していない・できない方も多くおられます。

自己検診し、少しでも「おかしいな」と思う症状があれば、気軽に受診しましょう。検診以外で発見されても、手遅れではありません。きちんとした治療をすれば、大丈夫です。当クリニックでは、患者さんに寄り添ったフォローを行っています。

広島市中区

日帰り手術と先進的治療で、乳がん治療の発展に努める

広島マーククリニック

金　隆史　院長

主な診療内容

○乳がん検診

○乳がんの日帰り手術

○抗がん剤治療

クリニックの強み

○広島県初。体への負担が少ない、乳がんの日帰り乳房温存手術が可能

○放射線以外の乳がん標準的治療がクリニックレベルで受けられる

○免疫低下を抑え、適切な全身治療で「乳がん再発ゼロ」をめざす

診療時間	月	火	水	木	金	土	日
8：30 〜 12：00	○	○	○	休診	○	○	△ 10：00 〜 14：00
13：30 〜 17：30	○	○	○	休診	○	○	休診

＊予約制　＊祝日は休診　＊受付終了は 30 分前となります
＊月・水曜午前中は原則、手術日。手術がない日は診療となります
＊毎月第 2 日曜（診療時間 10：00 〜 14：00）は検診を行います

住　所　広島市中区大手町 2-1-4
　　　　　広島本通マークビル 3 Ｆ
　　　　　（1 Ｆカメラのサエダ）

TEL　　082-242-6001

HP　　http://hbc-center.com/index.html
　　　　　（インターネット予約は 24 時間受付）

駐車場　なし（近隣の駐車場をご利用ください）

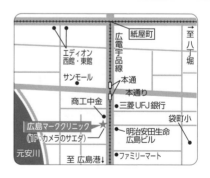

乳がんによる死亡率が世界的に減少傾向にある中で、日本は未だ右肩上がり。乳がん治療の進んでいる欧米は検診率も高く、手術も縮小化傾向にある。欧米のデータでは乳房温存術の方が乳房切除よりも生存率が高く、日帰り乳がん手術が多い。

金院長の目標は、日本の乳がんの死亡率を欧米のように減少傾向に転じ、「乳がん再発ゼロ」をめざすこと。そのために、専門クリニックとしての機能の強化と研究に努めている。クリニックの臨床、研究成果は国際学会、英語論文等で発信されている。

クリニックの概要

診療科目と領域

専門は乳がんの外科治療、薬物治療。乳がん手術は、かつては乳房全摘と脇の下のリンパ節を切除する腋窩リンパ節郭清が主流だったが、現在は、乳房温存手術とセンチネルリンパ節生検が世界では標準治療となっている。

同院は「がんの手術は入院して行うもの」という多くの人の思い込みを払拭し、日帰りでの乳がん手術を行っている、広島県初の乳腺専門クリニックである。広島県以外の山口県、島根県など他県からの受診も多い。

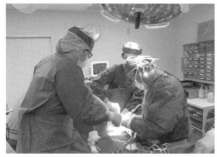

日帰り手術の様子

診療ポリシー

開業前は、広島大学原爆放射線医科学研究所（原医研）腫瘍外科で消化器がん、乳がんを中心とした臨床、研究、教育に携わっていた院長。「治癒させる。再発させない。患者の意思を最大限尊重する」という院長の固い信念は、乳がんと診断され、大きな不安を抱える患者にとっては非常に心強い。

めざすのは、「乳がん再発ゼロ」。日本の乳がん死亡率を、1日も早く欧米のように低下傾向へ転じる必要があると考え、クリニック設立時の次のビジョン、ミッションを果たしていくよう努める。（1）最新の乳がんの診断・治療法を駆使し、広島県および日本の乳がん治療成績の向上と死亡率の低下に貢献する。（2）乳腺専門医および専門スタッフによる乳がんの生物学、科学的根拠に基づいた診断・治療を行う。（3）乳がん治療ネットワークの一翼を担う。（4）乳がんの治療発展の新たな1ページを開く。

診療の特色・内容

乳がんで大切なのは「全身治療」

乳がんの多くは浸潤がん＝「全身病」であり、その転移は解剖学的に近くの腋窩リンパ節から拡大進展していくのではなく、原発巣からすでに血流を介して遠隔に微小転移が生じていることを前提として考える。乳房からがんが始まり、領域のリンパ節、あるいは血管の中に入って広がり、全身のどこかに潜むのが乳がんだと考えられる。

乳がん手術は、かつては拡大手術を行った方がより生存が延びるのではないかと考えられ、拡大乳房切除手術が行われた時期もあったが、少なくとも、リンパ節を多く切除することが生存にはつながらないとい

うことがすでに分かっている。乳がんが再発を起こさないためには、乳房の切除よりも、後の抗がん剤やホルモン治療などの全身治療をきっちり行うことが大切である。つまり、乳がんの治癒には局所療法として最小限の手術を行い、放射線療法、全身治療として、がんの特性（サブタイプ）に応じた抗がん剤治療、内分泌治療が重要である。

局所治療の手術は必要最小限度で、しかも、体に負担が少ない形で行う方がよいはずである。そのため原則として乳房を温存し、日帰り手術も可能になる。日帰り手術なら、患者の体への負担が少ない上に、日常生活や経済面の負担も少なくなる。「日帰り手術が普及すれば、高騰し続ける医療費削減の一端に寄与でき、生存率向上にもつながる可能性があります」と院長。

免疫低下を極力抑えるために

転移は、がんと患者の免疫との力関係で進むと考えられ、患者の免疫が極めて重要になる。手術では麻酔と自発呼吸の有無が生体防御免疫機能に関係する可能性があり、自発呼吸を残さない麻薬などによる全身麻酔を避ける。局所麻酔＋静脈麻酔（低用量プロポフォール＋ミダゾラム）を用いて自発呼吸を残した状態で手術を行い、全身麻酔による免疫低下を極力抑える。ただし、乳房全摘が必要な場合は通常の全身麻

乳がん発生のリスク軽減のために
－生活習慣と環境因子からみた8カ条－

1. 適度の運動。
2. アルコール飲料の摂取は控え目にする。
3. 喫煙は避ける。
4. ブラジャーの長時間の着用は避ける（1日12時間以内）。
5. 大豆、イソフラボン、乳酸菌（シロタ株など）、アブラナ科の野菜の摂取を心がける。
   大豆食品、納豆、豆腐、ヨーグルト、キャベツ、ブロッコリー、小松菜、大根など。
   ビタミンCの摂取、緑茶が勧められる。
   オリーブオイルの使用。
   ハム・ソーセージなどの練り物は控えめに。
   タンパク質はしっかり摂る。
6. 脂肪の過剰摂取は避ける。
   バランスのとれた食。
7. がん予防のためのサプリメントの摂取は避ける。
8. 肥満の防止

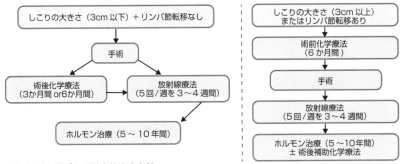

```
┌─────────────────────────────────┐      ┌─────────────────────────────────┐
│ しこりの大きさ（3cm 以下）＋リンパ節転移なし │      │ しこりの大きさ（3cm 以上）      │
└─────────────────────────────────┘      │ またはリンパ節転移あり           │
              │                          └─────────────────────────────────┘
           ┌─────┐                                    │
           │ 手術 │                       ┌─────────────────────────────────┐
           └─────┘                       │ 術前化学療法（6 か月間）          │
           ┌───┴───┐                      └─────────────────────────────────┘
           │       │                                  │
┌──────────────┐ ┌──────────────────┐     ┌──────┐
│ 術後化学療法      │ │ 放射線療法          │     │ 手術 │
│ （3か月間 or6か月間）│→│ （5回／週を3〜4週間）│     └──────┘
└──────────────┘ └──────────────────┘                │
       │                                  ┌─────────────────────────────────┐
┌──────────────────┐                       │ 放射線療法（5回／週を3〜4週間）   │
│ ホルモン治療（5〜10年間）│                       └─────────────────────────────────┘
└──────────────────┘                                  │
                                          ┌─────────────────────────────────┐
                                          │ ホルモン治療（5〜10年間）         │
                                          │ ± 術後補助化学療法               │
                                          └─────────────────────────────────┘
```

図　同院の乳がんの基本的治療方針

酔が必要となるため、連携病院へ紹介する。また、腫瘍径が大きい場合（3cm 以上）や抗がん剤感受性の高いサブタイプ（HER2 陽性、トリプルネガティブ）の場合、腋窩リンパ節転移陽性の場合には、術前に抗がん剤治療を行ってから手術を行う。

　術後は乳がんの再発だけでなく、ほかのがんの罹患にも注意が必要である。同院の治療成績（2008 年 5 月〜 2020 年 1 月）は、原発性乳がん 456 例に対して乳房温存術後の再発は 26 例で 5.7％。うち死亡は 13 例で、乳がん関連死 7 例、乳がん以外の他病死が 6 例。

　通常の乳がん再発はサブタイプにより異なるが、およそ全体で 15 〜 20％にみられる。国内の再発率を類推すると、2018 年国立がん研究センターがん登録・統計では乳がん罹患者数 8 万 6500 人に対して死亡者数 1 万 4800 人（17.1％）となっている。同程度の再発率がドイツからも報告されている※。 同院の 5.7％はその 1/3 〜 1/4 の低い再発率であり、手術時の局所麻酔＋静脈麻酔と自発呼吸の維持が生体防御免疫保持に働いている可能性がある。

術後は、24 時間体制で対応

　手術時間は 1 〜 1 時間半。その後 3 〜 4 時間休んだ後、歩いて帰宅することができ、術後の痛みも内服薬で十分コントロール可能だ。乳房温存術の場合、自発呼吸を維持したまま行うので回復が早く、術後出血による急変はまず起きない。日帰り手術の妥当性、安全性はすでに欧米で実証済みだ。患者さんの安心のため、抗がん剤治療の場合も同じだが、24 時間体制で、何かあればいつでも、必ず院長の携帯電話に連絡がつくようにしている。

　これまでに、手術直後に緊急手術や入院を要したケースは 1 件もない。しかし、もしその必要があれば、すぐに近隣の基幹病院の救急外来と連絡を取り対応する。日帰り手術は、これら基幹病院との連携のもと、安心して受けることができるよう体制を整えている。

パート1
乳腺診療

パート2
産科・婦人科

パート3
不妊診療

パート4
検診施設

多くの医療機関と連携

　術前検査で併存疾患に関する精査が必要であれば、専門クリニックへ紹介する。入院手術を希望する患者には、本人の希望する施設へ紹介し、基本的に術後の治療、フォローアップは紹介施設との病診連携で行っている。放射線治療は、患者が通いやすい治療施設のある機関を紹介する。マンモグラフィ読影のダブルチェックは健康倶楽部健診クリニック、画像検査（PET-CT、MRI）は広島平和クリニックとの連携で行う。このように多数の医療機関との連携のもとに、安心の医療が成り立っている。同院の日帰り手術方式は、他県施設からの見学も多い。

※ Holleczek B, Stegmaier C, Radosa JC, Solomayer EF, Brenner H. Risk of Loco-Regional Recurrence and Distant Metastases of Patients With Invasive Breast Cancer Up to Ten Years After Diagnosis - Results From a Registry-Based Study From Germany. BMC Cancer 2019;19:520.

DATA

診療科目	診療・検査内容
乳腺外科	乳がん検診（マンモグラフィ、超音波検査、細胞診、吸引組織生検）、日帰り手術、化学療法（抗がん剤、分子標的治療）、内分泌療法
沿革	2008 年開院
スタッフ	医師 1 人、薬剤師 1 人、看護師 4 人、放射線技師 1 人、事務 2 人 [2020 年 6 月時点]
設備	血球計数器、生体情報モニター 2 台、マンモグラフィ、乳房用超音波画像検査装置、吸引組織生検装置、遺伝子増幅検出装置、全身麻酔器、除細動器、電気メス、ハーモニックスカルペル、前腕用 X 線骨密度測定装置
認定	日本乳癌学会認定施設
連携病院	広島市民病院、広島大学病院、県立広島病院、広島赤十字・原爆病院など
実績	乳がん症例数／ 791 例、手術数（乳房切除、乳房温存など）／悪性 485 例（乳房切除 9 例、乳房温存 469 例、その他 7 例）・良性 236 例、温存手術患者の再発率／ 5.7％、セカンド・オピニオン／ 43 件 [以上、2008 年 3 月〜 2020 年 1 月] ※温存手術をすすめない基準／広範囲な石灰化（HER2 タイプ）
特記事項	体への負担が少ない日帰り手術と全身治療をきっちり行い、治癒を可能に

PROFILE

金 隆史 院長
（きん・りゅうじ）

経　歴	1984 年福岡大学医学部卒。広島大学原爆放射線医科学研究所腫瘍外科、広島市立安佐市民病院、四国がんセンターを経て、1991 ～ 1994 年米国 St Jude Children's Research Hospital（分子薬理学部門、抗がん剤研究）、1995 年広島大学助手、2002 年同助教授、2003 年米国 MD Anderson Cancer Center（乳腺腫瘍科）。2007 年広島市民病院を経て、2008 年広島マーククリニック開院。専門分野は乳腺外科、がん化学療法。
資　格	日本乳癌学会認定乳腺専門医、日本外科学会認定外科専門医
趣　味	読書、旅行
モットー	力必達、万物流転

院長の横顔

　高校 3 年のとき、幼友達が骨肉腫で数年の闘病生活の末、18 才という若さでこの世を去った。このとき、がんで亡くなる患者を一人でも救いたいとの思いで医師を志す決意をした。がん外科医を志し、縁あって当時がん治療で高名だった広島大学原医研外科（現腫瘍外科）に入局。消化器がん、乳がんを中心に外科治療、薬物治療を含めた集学的治療を学んだ。最終的には、がんの生物学的研究が最も進んでいた乳がんを選び、臨床、研究に携わることに。息子である金敬徳医師も乳腺外科医の道を歩む。

院長からのメッセージ

　乳がんは全身病で、手術は治療の一端、始まりにすぎません。乳房はできるだけ温存し、再発を防ぐため、術後のがんのサブタイプに応じた全身治療（抗がん剤治療、内分泌治療）が非常に重要。温存した場合、術後放射線治療も必須です。乳がん治癒のため納得いくまでお話をして、最善の治療を選ぶよう努力しています。疑問があれば遠慮なくご相談ください。乳がんは自己検診も重要。日常的に自分で触診を行い、「おかしい」と感じたら専門クリニックを受診してください。

広島市南区

医師をはじめスタッフは女性だけ。気軽に乳がん検診を

ひろしま駅前乳腺クリニック

長野 晃子 院長

主な診療内容

○乳がん検診

○乳腺の診察

○乳がん手術後の経過観察

クリニックの強み

○スタッフ全員が女性の乳腺専門クリニック

○ JR広島駅南口から徒歩4分。抜群のアクセスの良さ

○検査結果が即日分かる、スピーディーな対応

診療時間	月	火	水	木	金	土	日
10：00〜13：30	○	○	○	○	○	○	休診
14：30〜18：00	○	○	○	○	○	休診	休診

＊祝日は休診（臨時休診あり）　＊予約制（WEB予約可）

住　所　広島市南区松原町 9-1 福屋広島駅前店 8F

TEL　082-568-3003

HP　http://hiroshima-bc.jp/

駐車場　あり（有料）

● 利便性の良い場所で気軽に乳がん検診を受けられるようにと、JR広島駅前に開業したのが2013年。長野院長は県内でも数少ない乳腺専門医。スタッフが女性だけというのも好評で、気後れしがちな乳がん検診受診のハードルを下げている。また、広島大学病院とのスピード感ある連携も1つの特徴。患者は県内各地域、山口・島根などの県外からも訪れ、中には海外在住で年に一度、帰国の度に検診に訪れる人もいる。

クリニックの概要

診療科目と領域

　乳がんの診断をする窓口として、JR広島駅前に開設され、乳がんの一般検診と、何か症状があったり、人間ドックや他施設で要精密検査と言われた人に対する精密検査・確定診断を行っている。乳腺良性疾患（乳腺症、線維腺腫など）にも対応している。

診療ポリシー

　正しい診断が一番であることに加え、詳しい説明や説明の仕方も含め、患者一人ひとりへの思いやりを大切にしている。自治体検診にも対応しているが、完全個室の更衣室を設け、プライバシーが尊重されているため、ゆったりと検診を受けたい人には好評。検査の結果は当日知らされ、必要ならその日に精密検査の追加もできる。

受付

診療の特色・内容

患者の気持ちに寄り添う丁寧な診療

　乳がん検診では、問診、マンモグラフィ検査、超音波検査を行う。結果は可能な限り、当日、患者に知らせている。画像診断で良性か悪性か区別がつかない場合は、精密検査となる。当日に検査の追加もでき、細胞診や組織診（針生検）を行う。過剰診断にならないように心がけ、強く良性が疑われるケースは3〜6か月の経過観察となる。

　精密検査の結果は後日知らされ、手術・入院が必要となった場合はじっくりと話し合い、病院の紹介やカウンセリングをする。スムーズにがん治療を開始できるように広

島大学病院と医療連携している。

　がんではない場合も、説明不足だと患者は悩む。院長は、良性であってもその病気について極力詳しく伝え、丁寧に説明する。乳がんが疑われる場合は、患者の背景や環境なども考慮し、できるだけ患者の心に寄り添えるような伝え方を考える。

　近年は、乳がん手術後のフォローアップ期間は10年が推奨されており、基幹病院と連携してホルモン剤の投与など、フォローアップにも対応している。

長野院長とスタッフ

DATA

診療科目	診療・検査内容
乳腺外来	マンモグラフィ、乳腺エコー、精密検査（細胞診、組織診）
沿革	2013年7月開院
スタッフ	医師1人、放射線技師3人、超音波検査士1人、看護師3人
設備	マンモグラフィ撮影装置、超音波画像診断装置
連携病院	広島大学病院、広島市民病院、県立広島病院 （患者が希望する基幹病院への紹介は可能）
実績	マンモグラフィ（検診＋保険診療）／7203例、 超音波検査（検診＋保険診療）／8510例 新規乳がん診断症例／160例〔以上、2019年1月〜12月〕
特記事項	当日に検査の結果が分かり、追加で精密検査も可能

PROFILE

長野 晃子 院長
（ながの・あきこ）

経　　歴	2001 年広島大学医学部卒、同大第一外科入局。2004 年呉医療センター・中国がんセンター外科、2010 年呉共済病院外科などを経て、2013 年より現職。医学博士。
資　　格	日本乳癌学会認定乳腺専門医、日本外科学会認定外科専門医
趣　　味	旅行、ショッピング、料理

院長の横顔

　手先が器用で、医者になった当初は手術ができる外科を志していた。乳腺外科へ進むことになったのは、乳腺への関心の高さ、需要の多さに気づいたから。研修医の頃、院長が女性医師だということで、いろいろな女性から乳腺に関して質問されることが多かったのがきっかけだった。

　現在は、自分自身も 2 人の子どもを持ち、かつて大きな病気をしたこともあるため、患者と家族も含めて病気の伝え方には特に気を遣い、その気持ちに寄り添えるように心がけている。

院長からのメッセージ

　女性がかかるがんのうち、一番多いのが乳がんです。乳がんに対して、怖いイメージを持つ人も多いと思いますが、乳がんの診断、治療は進歩しており、非常に治りやすいがんのひとつです。

　しかし、そのために重要なのは早期発見です。普段から自分の乳房をよく知っておくこと、定期的な乳がん検診を受けることが早期発見につながります。また、乳房の病気は乳がんだけではありません。何か不安に感じることがあれば、早めに専門医に相談しましょう。

広島市安佐南区

乳腺専門医としての実力と、内科から外科までジェネラリストとしての信頼感

こころ・やのファミリークリニック

矢野 健太郎 院長

▌主な診療内容

○乳がん検診、精密検査、乳腺疾患

○内科一般、生活習慣病、外科一般

○胃がん検診（経鼻内視鏡検査）

▌クリニックの強み

○乳腺専門医として乳がんの早期発見に努め、乳腺疾患全般にも対応

○豊富な経験をもとに、誰にも分かりやすい診療を提供

○ホームドクターとして、内科から外科までサポート

診療時間	月	火	水	木	金	土	日
9:00～12:00	○	○	○	休診	○	○	休診
14:00～18:30	○	○	○	休診	○	16:00まで	休診

＊祝日は休診

▌**住 所** 広島市安佐南区伴南 4-1-10
（フレスポ西風新都）

TEL 082-811-8277

HP https://www.cocoro-yanofamily-cl.jp/

駐車場 あり（11台）

● 西風新都・こころ団地内にあるフレスポ西風新都のすぐそばに2018年10月開院。団地内にあってアクセスもとても良く、地域住民からホームドクター的な存在として頼りにされている。矢野院長は、乳腺専門医として乳がん検診や乳腺疾患に精力的に対応する一方、内科・外科・消化器内科を標ぼうし、幼稚園児から高齢者まで患者の健康サポートに力を注いでいる。

クリニックの概要

診療科目と領域

　乳がんは、早期発見・早期治療すれば治癒の確率が高まる。乳腺専門のクリニックとして、乳がん検診（マンモグラフィ）やその他の検診で判明した患者の精密検査に力を入れており、乳がんの早期発見に努めている。乳がん以外の乳腺疾患全般にも対応し、丁寧な診断・治療と誰にも分かりやすい説明を心がけている。

　内科、外科、消化器内科に関しても幅広く対応し、経鼻内視鏡を備えて胃がん検診にも力を入れている。

診療ポリシー

　矢野院長は、乳腺専門医として総合病院やがんセンターで数多くの乳がん患者の診断・治療に携わり、最前線で腕を磨いてきた。また、外科専門医としても消化器や呼吸器などさまざまな手術、検査、麻酔、救急医療に携わり、全身管理やプライマリケア（総合診療）の経験を積んできた。

　現在は、これまでの幅広い経験をもとに乳腺専門医として乳がんの早期発見に努め、さらに、ホームドクターとして子どもから超高齢者まで患者の健康を守り、地域貢献につなげている。心がけているのは、「常に迅速で的確な質の高い医療を提供する」こと。安心感・満足感を持って、気軽に受診してもらえるクリニックをめざしている。

受付

矢野院長とスタッフ

パート1
乳腺診療

パート2
産科・婦人科

パート3
不妊診療

パート4
検診施設

診療の特色・内容

乳がんの早期発見に努める

現在、国内で女性に発生するがんの第1位は乳がんである。女性の11人に1人が一生のうちに乳がんになるともいわれており、死亡者数も増加傾向にある。

同院では、乳房の痛み・しこり、乳腺炎、乳輪下膿瘍、乳がんなど、さまざまな乳腺疾患の診療を行っているが、特に、乳がん検診（マンモグラフィ）に力を入れており、乳がんの早期発見に努めている。

乳がんは乳腺にできる悪性腫瘍で、放置しておくとがん細胞が増殖して乳腺の外まで広がり、リンパや血流に乗って乳房から離れた臓器（肺、肝臓、骨など）にまで飛び火してしまう。

同院の乳がん診療は、乳がん検診、乳が

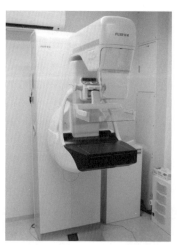

マンモグラフィ

んが疑われる場合の細胞診（細い注射針で行う穿刺吸引細胞診）や組織診（吸引式組織生検）と、手術後のフォローアップ（定期的な受診やホルモン治療など）まで行っている。

正確な診断から治療につなげる

乳がん検診のマンモグラフィ撮影は、豊富な経験と高い技術を持つ女性マンモグラフィ診療放射線技師が担当しており、「安心して受けられた」「思ったより痛くなかった」との声も多い。乳腺が発達している若い女性には、マンモグラフィよりも乳腺超音波（乳腺エコー）検査が向いているといわれるが、同院では乳腺超音波エラストグラフィ（超音波でしこりの硬さを画像化）を導入し、がん検診の精度向上に努めている。

乳がんの診断後は、高度で専門的な治療（手術、抗がん剤治療、放射線治療など）は、設備とスタッフが揃う基幹病院に紹介。こうした病診連携の中、地域医療を担う乳腺専門医として「質の高い医療の提供」を大切にしている。「できるだけ迅速に正確な診断をして、それを治療につなげてあげることが患者さんにとって最も大切です」

トータルで女性の健康をサポート

乳がんだけでなく、乳腺外科一般や女性に多い甲状腺診療などにも携わる。超音波

検査、血液検査、疑わしい場合は細胞診、針生検など、やり過ぎにならないように配慮して必要な検査を行う。生活習慣病（糖尿病、高血圧など）やその他の疾患が一緒に見つかることもよくあり、その場合は併せて治療を行っていく。

新しい団地内に立地しており、患者は30〜40歳代の若年世代が多いため、授乳期の乳腺炎の患者も多い。同院では乳房ケア外来を設けており、助産師のスタッフが乳房ケアを担当している。

キッズスペース

地域のホームドクターを担う

乳腺外科の外来診療で最も頻度の高い代表的な良性腫瘍として、思春期の若い女性に多い若年性線維腺腫（乳腺にしこり〈腫瘍〉ができる）がある。また、女性化乳房（男性の乳腺が腫れる）も珍しい病気ではなく、中高生や高齢男性によく見られる。高齢者の場合は服用している薬が原因のことが多く、まずは飲んでいる薬の量を減らす指導

「安心して気軽に受診できるクリニックでありたいです」

を行う。男性の乳がんも、珍しいとはいえ100人に1人の割合という。

同院は乳腺外科を標ぼうしながら、一方でホームドクターをめざしており、診療対象は女性だけではない。男性も来院しやすく、乳腺に関する男性の相談が多いのも一つの特徴である。

院長はこうした乳腺に関する病気の悩みに対して、まずは乳がんではないことを検査・診断した上で、病気について分かりやすく説明する。その上で最適と判断した治療を提案する。場合によっては治療が不要なことも。また、薬が原因で他の症状を引き起こすケースも珍しくないため、処方は必要最低限にしており、これらを患者にしっかり説明し、納得してもらうように努める。

内科・外科や胃がん検診にも尽力

　消化器内科も同院長の得意とする分野であり、消化管（食道・胃・小腸・大腸など）や消化器（肝臓、すい臓、胆のうなど）等に関する病気の診療や、経鼻内視鏡による

胃がん検診にも力を入れている。「地域のかかりつけ医として、外科や内科の分野でも、安心して何でも気軽に相談できるクリニックでありたいです」と話す。

DATA

診療科目	診療・検査内容
乳腺外科	乳がん検診（マンモグラフィ、乳腺超音波検査）、細胞診、針生検、手術後のフォローアップ、乳房の痛み、しこり、乳腺炎、乳輪下膿瘍
内科	風邪、体調不良、生活習慣病、喘息、花粉症
外科	外傷、やけど、できもの、がん手術後のケア
消化器内科	胃がん検診（経鼻内視鏡検査）、消化器疾患

沿革	2018年開院
スタッフ	医師1人、マンモグラフィ診療放射線技師1人、助産師1人、看護師3人［2020年6月時点］
設備	マンモグラフィ、超音波診断装置、新型経鼻内視鏡、胸部・腹部レントゲン、超音波骨重量測定装置（骨密度検査）、臨床化学分析装置、高感度インフルエンザ迅速診断システム、心電図
連携病院	広島市民病院、県立広島病院、広島大学病院、安佐市民病院、広島記念病院 など
実績	マンモグラフィ／497件、超音波検査／801件、細胞診／110件、組織診19件［以上、2018年10月〜2020年6月］
特記事項	40歳以上の方は、広島市乳がん検診受診券が利用できます

PROFILE

矢野 健太郎 院長
（やの・けんたろう）

経　　歴		2003年徳島大学医学部卒。千葉大学医学部第一外科入局。小田原市立病院、千葉大学医学部附属病院、千葉県がんセンター、栃木県立がんセンター、コールメディカルクリニック広島などを経て、2018年開院。
資　　格		日本乳癌学会認定乳腺専門医、日本外科学会認定外科専門医、麻酔科標榜医
趣　　味		スキューバダイビング、料理

院長の横顔

　広島（江田島、安佐南区）で幼少期を過ごし、早稲田大学に進学。大学では経済・経営学を学んだ。その後、「人と関われる仕事に就きたい」「人の役に立ちたい」という気持ちが膨らみ、医師になろうと決意。医学部に再入学して、外科学を主に学んだ。

　2018年に故郷の広島で開業するまで、関東地方のがんセンターなど大きな病院を中心に、乳腺専門医や外科専門医として臨床現場で腕を磨き、さまざまな経験を積んだ。

院長からのメッセージ

　乳がんは、早期発見できれば完治できる確率が高いといわれています。乳がんの多くは進行の遅いがんですが、中には進行の早いがんもあります。

　早期発見のためには、自己触診が大事です。いつもと違っていないか、何か触れたり、しこりがないかなど、自分で胸を触ってチェックしていただき、40歳を過ぎたら、定期的に乳がん検診を受けることをお勧めします。また20〜30歳代の方には、エコーでの検診も受け付けております。

　もし、気になる症状があれば、すぐに乳腺専門医を受診してください。

── 安芸郡海田町 ──

地域のかかりつけ乳腺専門医。在宅医療にも尽力

秋本クリニック

秋本 悦志 院長

主な診療内容

○乳がん検診、乳腺精密検査、
　術後のフォローアップ
○内科・外科
○在宅診療

クリニックの強み

○地域のかかりつけ医として乳腺専門医の実力を発揮

○「フットワークの軽さ」「モチベーション高く」精鋭のスタッフ

○「外来から在宅医療へ」スムーズな移行が可能

〈乳腺外科・内科・外科〉

診療時間	月	火	水	木	金	土	日
9：00～12：00	○	○	○	○	○	○	休診
15：00～18：00	○	○	○	休診	○	休診	休診

＊祝日は休診

住　所　安芸郡海田町稲荷町 3-34
TEL　082-823-7777
HP　https://akimoto-clinic-k.com
駐車場　あり（14台）

海田町を中心とした安芸地域で、父の代から長く親しまれてきた秋本外科を継承し、2013年に秋本クリニックとして改築開院。秋本院長は、乳腺専門医として乳がん検診・乳腺精密検査など地域の乳がん診療を支えながら、内科・外科の外来、在宅医療にも尽力。定期的な訪問診療や、緊急の往診にもフットワーク軽く対応し、通所介護・居宅介護にも取り組む。まさに、地域のかかりつけ医として信頼を得ている。

クリニックの概要

診療科目と領域

　乳腺疾患、生活習慣病、末期がん・超高齢者の看取りなどが主な診療領域。地域の乳腺専門医として乳がん検診・乳腺精密検査などで女性患者に寄り添い、特に乳がんでは、早期発見のため乳がん検診に力を入れている。

診療ポリシー

　「十分な説明と、患者が納得できる医療を提示する」ことを大切にしており、乳がん検診や乳腺精密検査では、患者がしっかりと理解して、安心して帰れるよう十分な説明を心がける。また、敷居の低い「何でも相談できる」雰囲気づくりをめざし、診療では一回は患者を笑わせて、抵抗なく質問できる雰囲気をつくる。笑顔で帰ってもらい、体や健康のことで困ったときには真っ先に頼られる存在になれるよう努めている。

スタッフ（受付、クラーク）

診療の特色・内容

精確な検診により確定診断まで丁寧に

　乳がん検診やがんの精密検査では、視診や触診、マンモグラフィ検診を行う。さらに、30歳代〜40歳代の若年者に多く、マンモグラフィではがんの見落としが多くあるといわれる高濃度乳腺の人には、乳腺エコー（超音波検査）を実施。がんが疑われる場合は、細胞診、組織診（針生検）まできっちり行って、確定診断を行う。万が一、乳がんと診断された場合は、適切な設備・スタッフが整ったがん拠点病院へ紹介する。

　乳がんの場合、①診断から治療方針までは同院で行った後、②手術・化学療法・放

射線治療などはがん拠点病院で行い、③その後のフォローアップは再び同院へ。④再発した場合は拠点病院で対応し、⑤緩和ケアや在宅看取りは同院で、とスムーズな移行が可能。

同院は、遺伝性乳がんのリスクがある人に対しての診療体制も整っており、遺伝性乳がん卵巣がんについて精通した看護師が分かりやすく説明し、フォローしている。また、「待たせない」「緊密な他職種連携」「患者の声を反映しやすい医療体制」を構築す

るためクラウド型電子カルテを導入し、システムの一元化を図っている。

十分な説明を心がける院長

DATA

診療科目	診療・検査内容
乳腺外来	乳腺エコー、マンモグラフィ、CT、精密検査（細胞診、組織診）、乳がん治療と術後フォローアップ、その他乳腺疾患全般
内科・外科	内科一般、生活習慣病、けがなどの外科治療
在宅診療	末期がん、認知症、その他通院困難な疾患（在宅看取り対応）
沿革	1985年秋本外科開業。2013年に継承し、秋本クリニック改築開院
スタッフ	医師1人、マンモグラフィ診療放射線技師1人、看護師6人（常勤5人・非常勤1人）[以上、2020年6月時点]
設備	マンモグラフィ、乳房用超音波画像診断装置、在宅用検査機器、クラウド型電子カルテ
認定	広島乳がん医療ネットワーク検診実施・精密診断・フォローアップ治療施設
連携病院	広島大学病院、県立広島病院、安芸市民病院、JR広島病院、マツダ病院、済生会広島病院など
実績	乳がん／37例（県病院乳腺外科の場合は手術参加）、針生検／98例、細胞診／19例、マンモグラフィ検査／1144例、乳腺超音波検査／1525例[以上、2019年1月～12月]

PROFILE

秋本 悦志 院長
（あきもと・えつし）

経　歴	1979年安芸郡海田町生まれ。2004年久留米大学医学部卒。広島大学初期臨床研修センター（主に外科）、JA尾道総合病院、土谷総合病院（以上、外科。外科専門医取得）、県立広島病院、広島大学病院（以上、乳腺外科）を経て、2013年より現職。県立広島病院消化器乳腺外科（非常勤）。中四国乳がん学会優秀演題賞受賞。広島医学会優秀演題賞受賞。
資　格	日本乳癌学会認定乳腺専門医、日本外科学会認定外科専門医
趣　味	釣り

院長の横顔

父も祖父も外科医で、秋本外科は安芸地区に昔からあるかかりつけ医として人々から頼られていた。30年以上前から父は在宅医療にも携わっていたが、その父が健康を害したため、実家の医院を手伝いながら県立広島病院や広島大学病院乳腺外科で腕を磨く。

そして、大卒後9年目で秋本外科を継承。その際に、高齢化が進む今後の地域医療を考えて、高齢者医療や在宅医療などの地域のニーズにも応えられる医療を提供していこうと、秋本クリニックに改称。地域の人々のよろず病いを診る総合診療を始めた。

院長からのメッセージ

当院では、乳がん検診と専門的な乳がん診療を提供しています。どんな疾患、どんな状態の方に対しても、患者さんとご家族が安心できるように、スタッフ一丸で「どうにかする」という強い気持ちで対応しています。

患者さんのつらい気持ちを和らげるのは、ご家族の雰囲気と安心できる主治医の説明と考えています。主治医に加え、知識・経験の豊富な看護師が患者さんやご家族が納得できるまで説明し、不明な点がないように治療を進めていきます。

江田島市能美町

患者の QOL を大切に考えた乳腺専門診療

島の病院 おおたに

安井 大介 医師

主な診療内容

○乳がん検診、乳がん精密検査、
　乳腺疾患全般、術後のフォロー など
○橋本病、バセドウ病、甲状腺がんなどの
　検査・治療
○内科・外科・小児科の各一般診療

病院の強み

○島唯一の総合病院として、乳がん検診・精密検査・治療まで幅広く対応

○患者の QOL（生活の質）を第一に考え、希望に沿った治療法を提案

○乳がん手術は他施設と緊密な連携。術後フォローも万全の体制

〈乳腺外科〉

診療時間	月	火	水	木	金	土	日
9：00〜12：00	○	—	—	○	—	—	休診
15：00〜18：00	○	—	—	—	—	休診	休診

＊祝日は休診

住　所　江田島市能美町中町 4711

TEL　0823-45-0303

HP　http://otani.or.jp/

駐車場　あり（47 台）

40

● 島しょ部には乳がん診療における"空白地帯"が多い中、総合病院の乳腺外科と同レベルの乳がん検診や精密検査などが可能。高齢化が進む江田島地域の乳腺診療を担う安井医師は、広島・大阪・九州など各地の病院で数多くの症例の診療や手術、術後ケアまで手がけてきた。これまでの経験を基にエビデンス（根拠）を重視した治療に努めつつ、独自の視点・哲学を併せ持ち、患者のQOL向上に全力を尽くしている。

病院の概要

診療科目と領域

　マンモグラフィや乳腺超音波検査をはじめ、穿刺吸引細胞診や針生検などの精密検査にも対応。手術症例は基幹病院に紹介し、術後ケアは同院で行う。甲状腺疾患の診療にも対応している。安井医師は、麻酔科、循環器科、脳神経内科、血液内科、小児科、整形外科、放射線科で研修した経験を生かし、内科・外科・小児科などの診療にも携わっている。

診療ポリシー

　「患者さんのご家族や生活を守ってあげることを最も大切にしています」と同医師は語る。特にがんと診断されたときには、「おせっかいと思われるほど話を伺います」。さまざまな情報をもとに、患者一人ひとりの仕事や生活、人生観に十分配慮した治療の選択肢を提供する。

診療の特色・内容

ガイドラインと自らの哲学に基づいた診療

　「江田島のような田舎では、大都市と同レベルの診断・治療が受けられないのではないか」という不安を完全に解消するため、きちんとしたガイドラインに沿って、治療方針をわかりやすく説明することに尽力。その中で、島内地域でできることと、都市部の基幹病院でなければできないことをはっきり説明し、必要であれば緊密に連携している基幹病院へ紹介する。

　乳房の病気の場合にはどうしても悪性・良性の区別がつかない病変もあるが、そうした症例にも明確な説明を行い、きちんと継続的に診療を行う。遠方の基幹病院まで通院しなくても、江田島でレベルの高い検診・診断・治療が受けられることも大切にしている。

　島内には高齢患者も多いことから、治療の際には医学的な必要性だけでなく、患者の年齢や体力、治療した場合の生活環境な

パート1
乳腺診療

パート2
産科・婦人科

パート3
不妊診療

パート4
検診施設

ど、さまざまな要素を考慮に入れることが "真の良い治療" のためには欠かせない。実際に「今やるべき手術か」「少し待った方がいいのか」「手術はしないほうが良いのか」などについて、患者や家族と相談していく中で決まることが多いという。日頃から、乳幼児から超高齢者まで在宅医療も含めた総合診療を行っているからこそ、バランスの取れた全人的な医療を受けることができることも都市部の病院にはない特徴である。

必要のない検査も正確に判断

患者一人ひとりに適した検査にもこだわっている。検査は、多くの種類・数をすればいいというものではなく、「しなくていい検査については、正しい情報・知識を持って検査をしないという判断をします」。

常に病気に対する検査や治療、その先の状況を予測しつつ、患者の病気に対する気持ちに配慮して検査・治療方針を決めていく。その話しぶりに説得力が垣間見える。

DATA

診療科目	診療・検査内容
乳腺外科	マンモグラフィ、乳腺超音波検査、細胞診、針生検、乳がん手術後のフォローアップ、乳がんの内分泌治療、局所麻酔下の乳腺腫瘍切除など
内分泌外科	橋本病、バセドウ病、甲状腺がんなど甲状腺疾患に関する検査や治療
内科・外科・小児科	乳児予防接種から高齢者の在宅診療までの総合診療

沿革	1943年「芸南病院」として開院。2度の改称を経て、2017年3月「島の病院おおたに」に改称、現在地に新築移転
スタッフ	医師2人（うち非常勤1人）、マンモグラフィ撮影技師4人（うち女性技師2人が撮影）、乳腺超音波検査技師2人（女性）[2020年6月時点]
設備	マンモグラフィ、乳房用超音波画像診断装置、CT、MRI、X線骨密度測定装置
認定	広島乳がん医療ネットワーク検診実施・精密診断・フォローアップ治療施設
連携病院	呉医療センター、県立広島病院、広島大学病院、広島赤十字・原爆病院 など

実績	乳がん検診／282例（うちマンモグラフィ140例、超音波検査142例）、甲状腺検査／23例、病理検査／細胞診14例、組織診5例、手術後のフォローアップ症例数／31例 [以上、2019年1月〜12月]
特記事項	甲状腺疾患をはじめ、内科、外科、小児科、在宅医療などの総合診療も行っている

PROFILE

安井 大介　医師
（やすい・だいすけ）

経　歴	1973年広島市生まれ。1999年九州大学医学部卒。聖マリア病院、浜の町病院、九州大学病院（第1外科）、ブレストピアなんば病院、大阪回生病院などを経て、2009年幸田医院を継承。2011年クリニック広島健診で乳腺外来開設。2017年より現職。呉医療センター乳腺外科、大阪回生病院外科（各非常勤）。
資　格	日本乳癌学会認定乳腺専門医、日本外科学会認定外科専門医
趣　味	マラソン（年間6回程度フルマラソン出場）、スノーボード
モットー	病気になってもその人らしい生活ができるように一緒に考え、寄り添う医療の実現

医師の横顔

　祖父が江田島で医院（幸田医院）を60年余り営み、幼少期から休みのたびに島へ行き、島のために医師として一生懸命に働く祖父を見て医師を志す。その祖父が体調を崩したことをきっかけに「思いを引き継ごう」と、幸田医院を継承。

　その後、島の病院おおたにが新築移転をするにあたり「一緒に」と誘われ、「島の人たちのためになるなら」と引き受けた。乳腺外科医は初診から長期にわたり一貫して患者と関わることができるため、やりがいが大きいという。

医師からのメッセージ

　乳房にしこりがあるなど普段と変わったことを感じたら、迷わずに受診しましょう。マンモグラフィや乳腺超音波検査を、専門医のいる施設できちんと受けることで必ず解決できます。

　あなたにとっての本当のスーパードクターは、ちゃんと向き合って話をしっかり聞いてくれる身近な医師かもしれません。本当の主治医が見つかるまでは、さまざまな医療機関を納得するまで回っても構わないと思いますが、まずは、早く受診して乳房に関する不安を解消しましょう。

呉市本通

呉地域で初の乳腺専門外来クリニック
クリニック広島健診

角舎 学行 医師

受付

主な診療内容

○乳がん検診、精密検査・診断、
　手術後のフォローアップ

○乳腺良性疾患（良性腫瘍、乳腺炎など）

クリニックの強み

○気軽に行ける乳腺専門外来クリニック

○クオリティの高い診断技術

○3D マンモグラフィなど最新の機器を導入

〈乳腺外来〉

診療時間	月	火	水	木	金	土	日
9：00〜12：00	—	○	—	—	—	○	—
13：00〜16：00	—	—	—	○	—	—	—

＊乳腺外来は完全予約制　＊火曜／金子佑妃（広島大学病院）、
　第1・3・5木曜、第2・4土曜／重松英朗（呉医療センター）、第1土曜／角舎学行（広島大学病院）、
　第2・4木曜、第3・5土曜／板垣友子・木村優里（呉医療センター）
＊乳がん検診は火・水曜午前、木曜午後・土曜午前に実施

住所	呉市本通 1-1-1　メガネ橋プラザ 2 F
TEL	0823-24-7567
HP	http://www.matterhorn-hospital.jp/hiroshima/
駐車場	あり（10 台程度）

乳がんが急速に増加し続ける中、呉地域には総合病院以外に、検診や精密検査、診断、術後のフォローアップを担う乳腺専門クリニックがなかった。呉地域の患者のニーズに応え、地域で初の乳腺専門外来クリニックとして開設されたのが同院である。マッターホルンリハビリテーション病院に併設された健診専門の施設で、基幹病院と連携して乳がん診療に携わり、クオリティの高い医療を提供している。

クリニックの概要

診療科目と領域

　乳腺良性疾患の診療と、乳がんの検診、精密検査・診断、手術後のフォローアップを行っている（完全予約制）。乳がん患者の受け入れ窓口として、気軽に行ける乳腺専門外来クリニックだ。

診療ポリシー

　呉地区は乳がん検診受診率が低い。そのため、進行した状態で乳がんが発見されることもある。同院では、高い診断力で確実に乳がんを診断することを診療ポリシーとしている。初診から診断まで最短1週間で行うことができ、必要であれば、当日でも呉医療センターに紹介が可能だ。術後は、呉医療センターとのがん連携パスのもと、クオリティの高い乳がん診療をスムーズに提供している。

画像を読影する角舎医師

診療の特色・内容

基幹病院との病診連携

　同院では乳がんに関し、マンモグラフィ、乳腺エコー、骨密度、CT、血液、細胞診、組織診などの検査を行っている。検査の結果、乳がんと診断したら、手術と抗がん剤治療、放射線治療は基幹病院（主に呉医療センター）へ紹介する。基幹病院での治療後は、再び同院へ戻り、定期的な診療など術後のフォローと、必要があれば再発予防のためのホルモン治療を行う。

高いクオリティのスタッフと設備

　同院の大きな特長は、広島大学病院と呉医療センターの乳腺専門医が外来を担当し

ており、広島大学病院、呉医療センターと同じクオリティの診断が受けられること。検査機器も最新鋭の上級機種を揃え、例えば今までのマンモグラフィ（2D）に比べ、より乳腺に隠れている乳がんが発見しやすい3Dマンモグラフィ（トモシンセシス）を導入している。また、マッターホルンリハビリテーション病院には整形外科があるため、骨粗しょう症や転移が心配なときは骨塩定量検査やCT撮影もできる。

機器を扱う技師のレベルも高く、乳がん検診・診断と術後のフォローを安心して受けることができる施設だ。

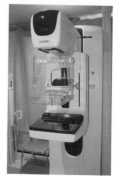

**最新鋭の
3Dマンモグラフィ
（トモシンセシス）**

DATA

診療科目	診療・検査内容
乳腺外来	乳腺良性疾患（良性腫瘍、乳腺炎など）、マンモグラフィ、乳腺エコー、CT、病理検査（細胞診、組織診）、手術後のフォローアップ
沿革	2011年マッターホルンリハビリテーション病院に乳腺外来を開設 2013年クリニック広島健診に乳腺外来を移設
スタッフ	医師（非常勤）5人、マンモグラフィ診療放射線技師2人、乳腺超音波技師4人、看護師5人［2020年6月時点］
設備	3Dマンモグラフィ、乳房用超音波画像診断装置、CT
認定	広島乳がん医療ネットワーク検診実施・フォローアップ治療施設
連携病院	呉医療センター、広島大学病院など
実績	受診者数／乳腺外来1069人（うちマンモグラフィ487人、乳腺エコー673人）、検診1211人（うちマンモグラフィ1035人、乳腺エコー197人）、病理検査／細胞診28例、紹介先病院より乳がんと判定された人数／10人（結果待ち1人）［以上、2019年4月〜2020年3月］
特記事項	最新鋭の検査機器で正確に診断し、基幹病院へ迅速に紹介 手術後のフォローや再発予防のための治療にも対応

PROFILE

角舎 学行　医師
（かどや・たかゆき）

経　歴	1992年広島大学医学部卒。米国マウントサイナイ医科大学留学（博士研究員）、中国労災病院、県立広島病院などを経て、2011年広島大学病院乳腺外科講師。2013年より現職。医学博士。日本乳癌学会、日本乳癌検診学会、日本オンコプラスティックサージャリー学会各評議員。NPO法人ひろしまピンクリボンプロジェクト理事長。
資　格	日本乳癌学会認定乳腺専門医、日本外科学会認定外科専門医
趣　味	サッカーなどのスポーツ全般、アウトドア、釣り
モットー	努力に勝る天才はなし

医師の横顔

中学、高校、大学と一貫して野球、サッカーを続けていた体育会系ドクター。広島出身で海外留学以外はずっと広島で暮らしている。2004年からの4年間は中国労災病院に勤務した経験から、呉の事情についても詳しい。

広島大学病院で臨床、研究、教育と忙しく働くかたわら、「まちなかリボンサロン」、「乳がんいつでもなんでも相談室」、「ひろしま乳がんアカデミア」などを主宰し、乳がんの啓発活動も熱心に行っている。

医師からのメッセージ

「あれ？　乳がんかも？」と思ったとき、呉に住んでいる方々が気軽に受診できるよう、広島大学病院、呉医療センターと連携して開設された乳腺専門外来です。乳腺専門医による高い診断技術と親切な外来フォローが特色で、週に3回外来診療をしています。また、検診部門とも連携していますので、「乳がん検診のある生活習慣病予防健診や内科健診が受けたい」方も、ご相談ください。

東広島市西条岡町

経験豊富な乳腺専門医による専門外来

本永病院

舛本 法生 医師

主な診療内容

○乳房の診療、マンモグラフィ検査、
　乳腺超音波（乳腺エコー）検査、細胞診、
　組織診、手術後のフォローアップなど

病院の強み

○乳腺専門医による丁寧な説明。最適な治療が選択できるようサポート

○広島大学病院との緊密な連携で、手術から術後フォローまで万全の体制

○女性の専門スタッフによる精密検査（マンモグラフィ撮影、乳腺エコーなど）

〈乳腺専門外来〉

診療時間	月	火	水	木	金	土	日
9：00〜12：00	—	—	—	休診	○	—	休診
13：00〜16：00	○	—	○	休診	—	—	休診

＊祝日は休診　＊受付時間／月・水曜：8:00〜15:00、金曜：8:00〜11:00（以上、予約優先）
＊担当医（非常勤）／月曜午後：笹田伸介、水曜午後：角舎学行、金曜午前：舛本法生（以上、担当医
　3人は広島大学病院乳腺外科から派遣の日本乳癌学会認定乳腺専門医〈臨時に専門医以外の場合もあり〉）

住　所　東広島市西条岡町 8-13

TEL　　082-423-2666

HP　　https://www.motonaga.or.jp/

駐車場　あり（90台）

48

1946年に診療所として開院。現在、内科（消化器・循環器・神経）、外科、産婦人科、リハビリテーション科を標ぼうし、地域に根ざした診療を提供。2011年に開設された乳腺専門外来では、広島大学病院の日本乳癌学会認定乳腺専門医3人（非常勤）が、乳がんなど乳腺疾患の診療を担当。精度の高い診断を行い、手術を含めた治療が必要な場合は大学病院等と緊密に連携を取り、術後のフォローアップまで万全の体制が整う。

病院の概要

診療科目と領域

　内科・外科・産婦人科などの診療科だけでなく、乳腺や甲状腺などの専門外来を持つ。乳腺専門外来では、正確な診断や治療方針決定のため、マンモグラフィや乳腺エコーなどの検査だけでなく、細胞診や針生検などの精密検査も行う。診断後の治療は大学病院等との緊密な連携で、術後のフォローアップ、抗がん剤治療まで一貫して患者を受け入れる。

診療ポリシー

　患者がリラックスして話しやすく、相談しやすい雰囲気をつくるよう心がけている。

　患者の中には乳がんを抱える人も多く、心配事や不安もさまざまなため、検査や治療法を決めるにあたり患者や家族の希望に添えるよう最善の方針を説明し、十分に理解した上で選択できるようサポートしている。

受付

診療の特色・内容

大学病院の乳腺専門医による精度の高い診療

　同外来では、広島大学病院から笹田伸介医師（月曜午後）・角舎学行医師（水曜午後）・舛本法生医師（金曜午前）の３人の経験豊富な乳腺専門医が診療に当たっている。さまざまな症状の患者が訪れるが、マンモグラフィ撮影・乳腺エコー検査は女性の専門技師が担当し、乳腺専門医が読影と診断を行う。

　乳がんと診断された場合には、腫瘍のタイプに合わせて手術、放射線治療、抗がん剤、分子標的治療、ホルモン療法を組み合わせた治療となるが、広島大学病院や東広島医療センターと連携し、患者各々に適した標準治療が受けられる体制を整えている。

術後も患者に寄り添いフォローアップ

同外来の強みは、「基幹病院との連携で手術後のフォローアップも任せられる」こと。患者の経過観察だけでなく、がん化学療法看護認定看護師が在籍しているため、がん診療連携拠点病院に劣らない専門スタッフによる診療が可能。さらに、患者の不安軽減を図るため、2012年から「まちなかリボンサロン in 東広島」（毎月第2水曜、2020年3月時点）も同院で開催さ

れており、専門の医療従事者に何でも相談可能な環境を整えている。

診察室。話しやすい雰囲気づくりを心がける舛本医師

DATA

診療科目	診療・検査内容
乳腺専門外来	乳房の診療、マンモグラフィ検査、乳腺エコー検査、細胞診、組織診、マンモトーム生検、CT検査、MRI検査、手術後のフォローアップ（薬物療法など）
沿革	1946年開院。2011年乳腺専門外来開設
スタッフ	医師（非常勤）3人、がん化学療法看護認定看護師1人（非常勤）[以上、2020年6月時点]
設備	マンモグラフィ、乳房用超音波画像診断装置、MRI、CT、組織検査・細胞診・針生検・マンモトーム生検器具
認定	日本乳癌学会関連施設、広島乳がん医療ネットワーク検診実施・精密診断・フォローアップ治療施設
連携病院	広島大学病院、東広島医療センター
実績	乳がん検診数／2127例（うち、マンモグラフィ検査1855例）、新規発見乳がん数／37例、細胞診／45例、組織診／53例[以上、2019年1月〜12月]
特記事項	広島大学病院との連携で治療を受けることが可能。患者や家族の不安を解消できるよう「まちなかリボンサロン in 東広島」を開催

PROFILE

舛本 法生　医師
（ますもと・のりお）

経　歴	1998年藤田医科大学医学部卒。2007年広島大学大学院博士課程修了。広島大学病院腫瘍外科・乳腺外科、亀田総合病院乳腺科を経て、2011年広島大学病院腫瘍外科・乳腺外科助教。2017年より広島大学病院乳腺外科診療講師。医学博士。日本乳癌学会評議員。
資　格	日本乳癌学会認定乳腺専門医、日本外科学会認定外科専門医
趣　味	旅行、スイミング、映画鑑賞、ペットの犬との散歩
モットー	互いに相手を大切にし、協力し合うこと。「和」

医師の横顔

　祖父と父が医師で、特に父の姿を身近に見て育ち、人の役に立つ仕事だと強く感じた。大学卒業後、広島大学病院の一般外科に研修医として配属。さまざまながん治療を学んだ。

　大学院時代に肝臓の再生医療に携わった後、乳がんの専門医になることを決意。乳腺外科は、検診（予防）、診断、治療、手術、術後のサポートまで一貫して患者に関わることができ、その職域の広さと奥深さに魅力を感じたからだ。日本の乳腺内視鏡手術の草分け、亀田総合病院で2年間の臨床診療の後、広島大学病院に勤務。現在、医師として日々患者と真摯に向き合い、一人ひとりの希望に添った治療が選択できるよう努めている。

医師からのメッセージ

　乳がんは、医学の進歩により治りやすい病気になっています。不安を感じたら、早めに受診しましょう。乳がんに対する不安は、ご本人だけでなくご家族も同じかと思いますが、早期の場合はしっかり治療をすることで完全に治る可能性が高い病気です。担当医とよく話し合い、十分納得した上で治療を受けましょう。

　不安なときは、リボンサロン（患者さんと医療者の交流イベント）に参加してみたり、連携施設の広島大学病院乳腺外科ブログも参考にしてみてください（http://ameblo.jp/hubreast2018/）。

竹原市竹原町

地域の家庭医であるとともに、乳腺と甲状腺の専門的な医療を提供

かわの医院

川野 亮 院長

主な診療内容

○乳がん
○甲状腺疾患
○骨粗しょう症
○外科・内科

医院の強み

○乳腺に加え、甲状腺疾患、骨粗しょう症、生活習慣病などの内科疾患にも対応

○連携病院との密接な病診連携のもとに診療

○乳がんの化学療法（抗がん剤治療）も実施

診療時間	月	火	水	木	金	土	日
9：00～12：00	○	○	○	○	○	○	休診
14：30～18：00	○	○	休診	○	○	休診	休診

＊祝日は休診
＊第1土曜：循環器内科外来、第2土曜：広島大学病院乳腺外科医師担当
＊乳腺甲状腺外来は院長が担当。できるだけ予約を
　（土曜の診療は担当医が変更になることがありますので、電話で確認してください）

住 所　竹原市竹原町 3554

TEL　0846-22-0724

HP　http://www.kwnmed.com

駐車場　あり（15 台）

● 乳がんは、日本人女性がかかるがんではトップであり、増加の一途をたどっている。人口約2万5000人弱の地方都市・竹原でも、乳がん患者は急激に、確実に増えている。乳腺専門医として乳がんの早期発見に全力を尽くし、地域の乳腺診療を支えているのが川野院長である。また、甲状腺にかかわる病気も女性に圧倒的に多い。院長は、乳腺、甲状腺の専門医として、また家庭医として、地域の健康を守っている。

医院の概要

診療科目と領域

　院長の専門分野は乳腺疾患と甲状腺疾患。乳がんでは、可能な範囲で術前・術後の抗がん剤治療も行う。また、乳がんの検診、診断、精密検査、乳腺疾患や甲状腺疾患に関するセカンドオピニオンにも応じている。

　一方で、外科疾患、骨粗しょう症、生活習慣病などの内科疾患、さらに整形外科疾患などの患者も幅広く受診できるように設備・機器を備えている。内視鏡検査、X線検査、超音波検査、各種検診などにも対応し、「相談医」「家庭医」としても地域の人々の健康に役立ちたいと考えている。

診療ポリシー

　増え続けている乳がんの診療では、大病院の専門外来はどこも飽和状態である。このような専門医療機関の外来時間を少しでも緩和するために、乳腺専門医の開業医が一端を担うことが必要になる。一方で、乳がんの検診や精密診断には精度管理（診断が正しい結果になるように撮影や診断の研さんを行い、結果が正しいものとなるように管理すること）が重要と院長は考える。同院で診断した際には、可能な画像診断や病理検査を済ませ、専門医療機関に迅速に紹介し、手術後は同院外来での乳がんの治療、経過観察に可能な限り対応している。

　「近くにあって良かった乳腺クリニック」をめざしている。

受付

待合室から眺められる日本庭園

パート1
乳腺診療

パート2
産科・婦人科

パート3
不妊診療

パート4
検診施設

診療の特色・内容

乳腺と甲状腺の専門医

甲状腺にかかわる病気は女性に圧倒的に多く、不妊の原因になることもある病気だ。院長は大学を卒業後、当時は診療科としては全国的にも珍しかった川崎医科大学の内分泌外科（現乳腺甲状腺外科）に進み、乳腺と甲状腺の分野はそのまま院長のライフワークとなった。

竹原市に戻って父親の医院を継承し、家庭医としてのスタンスを保ちながらも、乳腺外科、甲状腺外科、甲状腺内科の専門医として、地域でこの分野での専門的医療を提供できるよう努めている。

乳がん検診と精密検査について

乳がんに関しては、乳がん検診の希望にも応じ、CRデジタルマンモグラフィシステム、デジタル超音波検査装置（最新技術であるエラストグラフィが可能）を駆使し、乳がんの診断を行う。

異常が見つかったり、検診で要精密検査と言われた人に対する精密検査では、必要に応じて拡大マンモグラフィや腫瘍マーカーの検査、細胞診、針生検、超音波ガイド下マンモトーム生検などによって対応する。

体への負担が小さい細胞診は、主に良性を確認する場合に行い、正確を期するため必ず超音波で針先を確認しながら（エコーガイドによる）行っている。

針生検は、悪性を疑うときや細胞診では細胞が取れそうにないときに、一度の検査で診断をつけるために行う。

マンモトーム生検は、適応を絞り、最初から診断がつきにくいケースや、嚢胞内腫瘍のように嚢胞が破れて周りに散らばる恐れがある場合などに行う。

いずれも、合併症を起こさないように細心の注意を払いながら行うことを基本とする。

小さながんを見つける

乳がんは小さいうちから正確な診断をして治療を受けてもらうことが、ゆくゆくは治癒率を上げることにつながると考え、「治る乳がんを見つけないといけない。浸潤がんを小さなうちに見つける」をポリシーとし、早期発見に全力を尽くしている。

院長はマンモグラフィ、読影、撮影技術すべてにおいて豊富な経験を持つ。しかし、マンモグラフィの撮影は、女性技師が行う

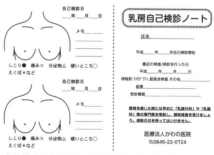

自己検診も毎月続けて行うことが大切です
（※実際の自己検診ノートは12回のメモが取れるようになっています）

川野院長とスタッフ

方が患者の抵抗感が少ないと考え、女性技師が行っている。マンモグラフィ撮影技師であり、さらに乳腺の超音波検査技師でもあるこの女性技師と院長が相談しながら、精度の高い検査を進める。

また金曜午後は、乳腺と甲状腺が専門で、マンモグラフィ読影の高い技術と知見を持つ女性医師も外来を担当している。

院内でホルモン治療、化学療法を実施

乳がんに関して、同院では手術と放射線治療は専門施設へ紹介。術前や術後、再発時のホルモン療法、抗体療法、化学療法（抗がん剤治療）は、専門施設からの依頼があり当院で可能と判断した場合は院内で行っている。

化学療法まで行うクリニックは、多くはない。抗がん剤治療はどうしても体調が悪くなるため、専門施設に任せるのが通常で

ある。リスクがあっても行うのは、近くに専門の病院がないという地域性のため、それをしなければ困る患者が多いからだ。

院長は、大学病院での勤務医時代に、外科医として化学療法を手がけている。その経験を生かしながら、可能な範囲で抗がん剤治療に携わっている。未経験の新しい薬剤を使う場合は、専門施設の担当医と連携し、その指導を受けながら慎重に進める。

ホルモン療法もさまざまな症状を引き起こすため、合併症には気を配る。女性は閉経後は骨粗しょう症となることが多い。ホルモン療法はそれを進ませることがあるため、精度の高い骨密度の測定機器を導入し、細かく気を遣いながら診ている。

乳がんの治療の卒業は10年という見方が今では標準になっている。長い付き合い

骨密度測定装置

パート1
乳腺診療

パート2
産科・婦人科

パート3
不妊診療

パート4
検診施設

になるので、かかりつけ医として、高血圧、糖尿病、高脂血症などの内科的疾患も併せて診ることが多い。胃カメラも大腸カメラの検査も行う。「当院でできる範囲で、トータルで診させていただいています」

DATA

診療科目	診療・検査内容
乳腺診療	乳房撮影（デジタルマンモグラフィ）、超音波検査、超音波エラストグラフィ、超音波ガイド下針生検、超音波ガイド下マンモトーム生検、しこりの摘出生検、乳管造影（乳管内視鏡は要相談）、腫瘍マーカー（血液、分泌液）、分泌液の細胞診、ホルモン療法、化学療法
甲状腺診療	頸部X線撮影、超音波検査、超音波エラストグラフィ、血液検査（甲状腺ホルモンなど）、細胞診（超音波で見ながらしこりの吸引細胞診）
外科・内科など	骨粗しょう症（DXA骨密度測定〈大腿骨頚部、腰椎、前腕〉、単純X線撮影）、胃カメラ、大腸カメラ（S状結腸）、腹部超音波検査など

沿革	1961年開院
スタッフ	医師2人（うち非常勤1人）、診療放射線技師1人、看護師4人［2020年6月時点］
設備	デジタルマンモグラフィ、デジタル超音波検査装置、経鼻内視鏡、DXA骨密度測定装置、X線撮影装置、電子カルテ、電子ファイリングシステム
認定	日本乳癌学会関連施設、広島乳がん医療ネットワーク検診実施・精密診断・フォローアップ治療施設
連携病院	広島大学病院、広島市民病院、呉医療センター、福山市民病院、安佐市民病院など
実績	乳がん検診数／857例、マンモグラフィ／1279例 乳腺超音波検査／983例、甲状腺超音波検査／1441例 ［2019年1月〜12月］
特記事項	乳がん術後の上肢リンパ浮腫のケアも行っています

PROFILE

川野　亮 院長
（かわの・りょう）

経　歴　1981年川崎医科大学卒。1983年同大学大学院入学。1987年同大学院卒。川崎医科大学内分泌外科（現乳腺甲状腺外科）、広島大学原爆放射線医科学研究所腫瘍外科、広島赤十字・原爆病院外科、医療法人錦病院（山口県岩国市）副院長を経て、1995年より現職。医学博士。

資　格　日本乳癌学会認定乳腺専門医、日本外科学会認定外科専門医など

院長の横顔

　父が外科内科医院を開院したのが1961年。患者にいつも寄り添い、役立って感謝される父の姿を子どものころから見て育った院長が、父と同じ医師の道を選んだのはごく自然のことだった。

　「都会と違い、地方では、当院1か所でプライマリーケア（総合的に診る医療）をこなさなければいけません。高齢者も多く、糖尿病、高血圧など生活習慣病全般に対応することも大切。地域の人々にとって家庭医でありながら、乳腺と甲状腺に関しては専門的な医療を提供する、それが僕のコンセプトです」

院長からのメッセージ

　乳がんは、早く見つければ良く治る病気です。何か気になる症状がある方は躊躇せず、検査を受けてください。検診はあくまで症状のない方が対象です。少しでも症状のある方は、マンモグラフィや超音波による精密検査が必要です。検診を待たないで、専門医のいる医療機関で検査を受けましょう。

　また、乳がん検診で精密検査が必要と診断された方も必ず精密検査を受けてください。がんと告知されるのが怖いと言う方がおられますが、放っておく方がもっと怖いのです。

福山市神辺町

乳腺専門医として、かかりつけ医として、地域医療に貢献

いしいクリニック

石井 辰明 院長

主な診療内容

○乳がん検診、精密検査、治療
○内科一般、甲状腺検査
○けがなどの外科治療
○胃カメラ、腹部超音波検査

クリニックの強み

○受付時間内であれば、予約なしで毎日乳がん検診が可能
○より良い医療を提供するため、最新の医療機器を導入
○基幹病院とのスムーズな連携

診療時間	月	火	水	木	金	土	日
9：00～12：30	○	○	○	○	○	○	休診
15：00～18：30	○	○	○	休診	○	休診	休診

＊祝日は休診　＊乳がん検診の受付終了は30分前となります

住　所　福山市神辺町十三軒屋 136-3
TEL　084-960-5565
HP　https://www.ishiiclinic.info/
駐車場　あり（16台）

石井院長は、福山市民病院で数多くの乳腺・甲状腺の手術（主にがんの根治術）に携わった経歴を持つ。乳腺外科も専門医による診療を気軽に受けられるようにと、2008年開院した。高性能の機器を導入し、自ら検査も行い、乳腺専門医として診療にあたっている。基幹病院との連携もスムーズで、乳腺だけでなく、内科一般や外傷の治療を行う地域のかかりつけ医として、人々の健康を守っている。

クリニックの概要

診療科目と領域

同院では、乳がん検診・精密検査で乳がんの診断をし、手術と抗がん剤治療は基幹病院へ紹介する。病状によっては、ホルモン治療を含め術後のフォローも行っている。

また、院長はかかりつけ医としての役割も大切にしており、けがなどの外科治療、内科一般の診療はもとより、甲状腺の検査・橋本病やバセドウ病の治療、生活習慣病の診療、予防接種、福山市の健診、胃カメラ（細径・経鼻内視鏡）・腹部超音波検査などを行っている。

診療ポリシー

院長は、「乳腺外科は診断が難しく、技術の差が検診や診断に大きく影響するので、慎重に向き合うべき領域である」と考えている。しかし同時に、乳腺にかかわる診療も、身近に気軽に利用しやすい形で、しかも良質な医療を提供したいとの思いから、乳腺クリニックを開院した。より精度の高い診断を行うため、自身の勉強を日々欠かさず続けており、可能な限り最新機器の導入にも気を配っている。

また日頃より、基幹病院と密な協力関係を築いており、乳腺に限らず内科などほかの診療科についても日常的に相談できる、顔の見える関係だ。乳腺の専門医であると同時に、地域のかかりつけ医として、使命感をもって診療を続けている。

受付

待合室

診療の特色・内容

予約なしで検診が可能

同院は乳腺の患者が全体の約半数を占めるが、予約のいらない数少ない乳がん検診施設である。患者は備後・県北・岡山県西部からも訪れる。

乳がん検診や乳腺の診察で、マンモグラフィ・超音波検査は原則、受診したその日に結果を説明している。さらに必要があれば細胞診や組織診断（針生検：乳がんの確定診断）も行っている。

しかし乳腺診療に限らず、風邪など一般の患者の診察もあるため、少しでも患者の待時間が少なくなるように、「順番とりシステム」を導入している。受診当日に携帯・パソコンで診察の順番を取ることができる

ので、順番が近くなるまで自宅や院外で過ごすことも可能だ。「時間枠の決まった予約にすると、一日に診療できる検診数が決まってしまいます。柔軟に対応するため、予約ではなく順番とりシステムを導入しています」と、院長は話す。

より良い乳がん検診の提供をめざす

乳腺の診断は、血液検査のように数値化されないため、乳腺外科ではより専門性が問われる。「1例1例が真剣勝負です」と院長。実のところマンモグラフィ検査は、撮影・読影ともに技師や医師の技量によるところが大きい。同院では院長が放射線技師も兼ねており、読影・撮影ともに豊富な経験と知見を持つ。自らが全てにかかわることにより、高い水準の検査が可能で、効率的に診療ができるという。

乳がんと確信したら、連携する基幹病院にすぐに連絡し、自らできるだけ早い診察予約をとる。それが可能なのも、連携病院からの全幅の信頼があるからだ。

石井院長の問診風景。「身近で良質な医療を提供したい」

なお、通常マンモグラフィ撮影は院長自らが行うが、毎週木曜午前と不定期の土曜午前には非常勤の女性技師が行っている（2020年6月時点）。

高性能な診療機器の導入

院長は医療機器の質にもこだわっている。いくら高い撮影技術や読影力があっても、機器が悪くては正確な診断ができないからだ。同院では、時代に合った適切な医療を提供するため、診療機器も適時新しい装置を導入している。

2019年9月に、最高クラス（ハイエンド）の超音波画像診断装置を導入。また2020年1月には、新型（フラットパネル・ディテクタ方式）のマンモグラフィ撮影装置を導入した。

地域のかかりつけ医として

乳腺診療の一方で、同院の患者の約半数は近隣の地域住民である。高血圧・糖尿病など生活習慣病や内科一般、外傷治療、甲状腺の検査など、診療内容もさまざまだ。また、乳がんで高血圧症などの合併症を持つ患者にとっても、同院の幅広い診療は大きなメリットとなっている。

院長は研修医時代から胃腸や胆嚢などの消化器外科手術に携わり、福山市民病院では乳腺・甲状腺外科のチーフとして、主に乳がん・甲状腺がんの根治術にかかわってきた。開院後はさまざまな疾患の診療を行っているが、当然一人の医師で全ての病気を診療できるわけではなく、日々の「病診連携」は欠かせない。入院や専門医の診療が必要な場合は、近隣の病院と連携をとっており、地域の内科の患者にとっても心強い。

自己研さんを続ける

同院の基本理念の一つは、「乳腺のかかりつけ医」をめざすことにある。「乳がんは早期に発見するのが一番。知識や技術を高め、一人でも多くの患者さんに貢献したい」との思いが院長にはある。また開業医とはいえ、受診する患者さんの病状は千差万別なので、正確な診断のためには幅広い知識が必要だと考えている。

そのため6年前から乳腺の画像診断の専門書を、いわばバイブルとして何度も通読を繰り返している。1200ページ余りに及ぶ、米国の放射線科医によるものだ。本棚には、ほかに乳腺の包括的な成書や、放射

**院長の
バイブルの1冊**
Diagnostic Imaging:
Breast, 3rd Edition
(Wendie A. Berg,
Jessica Leung,
Elsevier, 4th June
2019)

パート1
乳腺診療

パート2
産科・婦人科

パート3
不妊診療

パート4
検診施設

線技師にあてた専門書などの洋書が並んでいる。欧米では乳がんの罹患率（りかんりつ）が高く症例も多いので、奥が深く得るものも多いと院長は話す。

　"世界の共通語"といえる英語が理解できれば、地域の垣根を越えて最新・最高のものへのアクセスが可能になる。「趣味は英会話」という院長は、市内の英会話スクールにも通い、自己研さんを怠らない。洋書をスムーズに読むためでもあるが、乳がんが心配で訪れた外国の患者との意思疎通に、大いに役立つときもある。

DATA

診療科目	診療・検査内容
乳腺外科	乳がん検診（マンモグラフィ、超音波検査など）、精密検査、治療
内科	内科一般、甲状腺検査、橋本病やバセドウ病の治療、生活習慣病、予防接種、健康診査
外科	ケガなどの外科治療
消化器内科	胃カメラ（細径・経鼻内視鏡）、腹部超音波検査
沿革	2008年5月開院
スタッフ	医師1人、マンモグラフィ撮影技師1人（非常勤）、看護師4人 [2020年6月時点]
設備	マンモグラフィ撮影装置、乳房用超音波画像診断装置、細径内視鏡
認定	広島乳がん医療ネットワーク検診実施・精密診断・フォローアップ治療施設
連携病院	福山市民病院、福山医療センター、中国中央病院、倉敷中央病院
実績	検診／乳がん検診数4127例（診療含む延べマンモグラフィ撮影数）、新規発見乳がん数／99例、病理検査／細胞診299例、針生検81件 [2019年1月〜12月]
特記事項	予約なしで乳がん検診を受けられ、マンモグラフィ検査や乳腺超音波検査は、原則、当日に結果を説明

PROFILE

石井 辰明　院長
（いしい・たつあき）

経　　歴	1965年尾道市生まれ。1990年佐賀医科大学（現・佐賀大学医学部）卒。岡山大学第一外科入局。各地の病院で消化器外科手術に携わり、2000年から福山市民病院外科勤務。2003年から乳腺・甲状腺外科を担当。2008年いしいクリニック開院。岡山大学医学賞（林原賞）受賞（2000年）。
資　　格	日本乳癌学会認定乳腺専門医、日本外科学会認定外科専門医など
趣　　味	英会話の勉強
モットー	乳腺の専門医療と地域のかかりつけ医をめざします

院長の横顔

　院長は医師とは無縁の家庭に育ったが、人の役に立てる職業に就きたいという思いがあった。「医師は自分が頑張ることで、人助けができる」と考え、医学部に入り、「直接自分の手で人の病や傷が治せる」と外科医をめざすことに。福山市民病院で乳腺外科と甲状腺外科を担当し、さまざまな乳がん患者と向き合ううち、多くの人が必要なときに受診できる、開業医の必要性を実感。「自分の技術で、どれだけの人を救えるか」にこだわり、「身近で良質な医療の提供」のため研さんを積んでいる。

院長からのメッセージ

　当院の乳がん検診は、予約制ではありません。受付時間内であれば、いつでも検診が可能です。検査機器も、その時々で最新のものを導入しています。また高血圧症など、内科の病気も併せて受診いただけます。

　勤務医時代に数多くの乳腺・甲状腺の手術に携わった経験があり、地域基幹病院の先生方と良好な連携をとっています。何か心配事があれば、気兼ねなくお尋ねください。

パート1
乳腺診療

パート2
産科・婦人科

パート3
不妊診療

パート4
検診施設

福山市沖野上町

患者に寄り添う親身な診療。乳腺専門医として精度の高い検診に尽力

うだクリニック

宇田 憲司 院長

主な診療内容

〇乳がん検診、乳腺精密検査
〇甲状腺疾患
〇胃がん・大腸がん検診
〇高血圧、高脂血症、糖尿病 など

クリニックの強み

〇患者の立場に立った親身な診療

〇高精度の乳がん検診を行い、できるだけ早く検査結果を説明

〇基幹病院との連携により、地域全体で高度な乳がん診療をめざす

診療時間	月	火	水	木	金	土	日
8：30〜12：30	〇	〇	〇	〇	〇	13：00 まで	休診
14：30〜18：30	〇	〇	〇	休診	〇	休診	休診

＊祝日は休診

住 所 福山市沖野上町 4-3-26
TEL 084-922-2445
HP https://uda-clinic.fmed.jp/
駐車場 あり（30 台）

● 同院は、精度の高い乳がん検診・精密検査が行える乳腺診療機能とかかりつけ医機能を併せ持つクリニック。基幹病院との役割分担で、患者により良い乳がん診療を提供するとともに、術後のフォローをはじめ、生活習慣病や内科・胃腸疾患の診療も行う。不安や心配を抱える患者の気持ちに寄り添って、親身な診療を心がけ、地域全体で患者のためになる医療を提供できるよう努めている。

クリニックの概要

診療科目と領域

同院は乳がん検診・乳腺精密検査を専門としたクリニックだが、甲状腺（バセドウ病・橋本病など、甲状腺ホルモン異常）外来も常時開設している。

また、かかりつけ医として胃内視鏡検査・腹部超音波検査、内科の一般診療や高血圧・高脂血症・糖尿病等の生活習慣病などにも対応している。病診連携で専門外領域の相談にも応じ、適切な病院へ紹介する。

診療ポリシー

同院では精度の高いがん検診を行うとともに、常に親身な医療提供を心がけている。院長は開院前、福山市民病院に10年間外科医として在籍し、毎年多数の外科手術に携わってきた。また、同院での乳腺外来の開設（1998年）や、乳がん患者をサポートする「乳腺患者会 QOL たんぽぽ」（年3回の勉強会・食事会・日帰りバス旅行・会報発行など）の活動にも関わった経歴を持つ。

しかし、「大病院では患者に寄り添う医療は難しい」との思いから地元で開業（2003年）し、開院後も、こうした乳腺手術後の患者の不安や悩みに寄り添う活動を続けている。常に患者の立場に立ち、できるだけ早く検診結果を出して不安や心配を取り除くよう努めている。患者のためにならない不要な検査はせず、必要ならすぐに適切な基幹病院や専門病院へ紹介する。

受付

待合室

診療の特色・内容

乳がん検診専門クリニックとして2003年開院

　院長が、父親が50年前から金物業を営んでいた地元福山市で、乳がん検診を専門としたクリニックを開業したのは2003年。「当時は視触診の乳がん検診が主で、マンモグラフィの必要性を啓発するのも苦労しました。2007年から福山市にもマンモグラフィ検診が導入され、現在のような乳がん検診体制になりました」と、当時を振り返る。

　2015～2017年にかけて、芸能人の乳がん罹患ブログ発信が相次いだときは、乳がん検査希望者が急増し、朝8時から夜9時ごろまで休みなしの診療が数か月続いたこともあるという。

電話による「順番取り」で待ち時間を短縮

　同院の患者の半数以上は乳がん検診と乳腺精密検査で、そのうち30歳代～70歳代の女性が90％を占めている。患者は福山市内だけでなく、尾道市・三原市・岡山県西部・府中市・神石郡など、広範囲から訪れる。そのため、当日の電話による乳がん検診の「順番取り」を可能にしており、患者の待ち時間短縮に努めている。

患者の気持ちに寄り添う診療

　同院の強みは、「受付時間内は予約なしでいつでも乳がん検診が可能」なこと。また、待ち時間を除けば10～15分程度で検査・結果説明が受けられる（細胞診を除

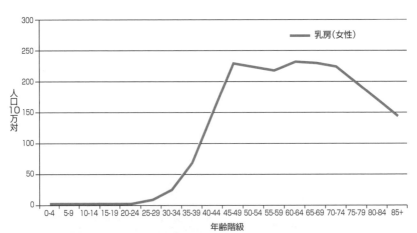

出典：国立がん研究センターがん情報サービス「がん登録・統計」（全国がん罹患モニタリング集計〈MCIJ〉）

図　年齢階級別 乳がん罹患率（全国推計値、2015年）
乳がんは35歳くらいから急に増加し、40歳代～80歳代までほぼ変わりなく高い罹患率となっている。
35歳～80歳までは乳がん要注意年齢であり、定期的な乳がん検診と自己検診が望ましい。

く）。常に患者の気持ちに寄り添う姿勢で診療を行う院長は、できるだけ早く検査結果を出し、患者の不安や心配を取り除くよう気を配っている。「患者さんに元気になって帰ってもらいたい」「何でも相談できるかかりつけ医でありたい」との思いからだ。

　また、乳がん検診に訪れた患者全員に、模型を用いた自己検診の指導も行っている。急に大きくなる乳がんもあるため、検診で異常がなくても月1回自己検診をして、少しでも異常を感じたら、必ず専門医の診察を受けるよう指導している。

　35〜65歳までの女性のがん死亡率のトップは乳がんで、40歳代〜80歳代までは罹患率も高い（図）。「定期的ながん検診と自己検診が大切です」と、院長は話す。

精度の高い乳がん検診をめざす

　マンモグラフィ検診だけでは分からない乳がんもあるため、同院では、併せて乳房超音波（乳腺エコー）検査の受診も勧めている。院長は福山市で最初の乳腺専門医であり、長年培った高い技術と知見で、自らマンモグラフィの撮影・読影および超音波検査を行う。画像管理はマンモグラフィ専用のデジタル画像診断・管理システムを導入し、2003年4月の開院後から2020年3月までの17年間で、新規発見乳がん数は1600例を超えた。

　院長は地元の福山市出身で、福山市民病院勤務時代（10年間）と開業から現在ま

診察中の宇田院長

で（17年間）の豊富な診療経験だけでなく多くの人脈を持ち、基幹病院との連携もスムーズ。同院では、視触診・マンモグラフィ・超音波検査・細胞診までを行い、必要であれば迅速に基幹病院へ紹介。手術・抗がん剤治療・放射線治療などを任せている。基幹病院での治療終了後は、術後経過観察・ホルモン療法を中心とした薬物療法などを同院で行っている。

　福山市内の産婦人科・内科などから多数の乳腺精密検査・乳がん検診の依頼があり、産後の乳腺トラブルも併せて、助産院からの紹介も多い。さらに、女性医師や看護師など医療関係者の検診も多く、院長への信頼の厚さがうかがえる。

地域全体でより良い医療の提供を

　同院では、可能な範囲で高精度の新しい検査機器の導入にも力を入れており、超音波診断装置を新型機種に（2017年4月）、マンモグラフィをフラットパネル式デジタル装置に更新した（2018年3月）。経鼻

パート1
乳腺診療

パート2
産科・婦人科

パート3
不妊診療

パート4
検診施設

内視鏡システムも、高精細な画質の新機種を導入している。

　しかし、患者のためにならない過剰な検査や治療は行わない。必要なときは迅速に適切な基幹病院や専門病院と連携を取り、地域全体でより良い医療を提供することをめざしている。

DATA

診療科目	診療・検査内容
乳腺外科	乳がん検診、乳腺精密検査、術後のフォローアップなど
甲状腺疾患	バセドウ病、橋本病など、甲状腺ホルモン異常
胃腸疾患	胃がん・大腸がん検診、胃内視鏡検査、腹部超音波検査
内科	高血圧、高脂血症、糖尿病など

沿革	2003年4月開院
スタッフ	医師1人、看護師5人［2020年6月時点］
設備	デジタルマンモグラフィ、乳房用超音波画像診断装置、腹部超音波診断装置、経鼻内視鏡システム、デジタルX線TVシステム
認定	広島乳がん医療ネットワーク検診実施・精密診断・フォローアップ治療施設
連携病院	主な紹介機関／福山医療センター、福山市民病院 被紹介機関／白河産婦人科、小池病院など、福山市内の産婦人科、助産院
実績	乳がん検診：新規発見乳がん数／151例、マンモグラフィ検査（診療分含む）／7489例、乳房超音波検査（診療分含む）／8604例、他院からのマンモグラフィ読影依頼／2436例、胃内視鏡検査／581件 ［以上、2019年1月〜12月］
特記事項	開院後17年間の診療実績：新規発見乳がん数／1621例、マンモグラフィ検査（診療分含む）／延べ9万4880例、乳房超音波検査（診療分含む）／延べ11万5959例［以上、2003年4月〜2020年3月］

PROFILE

宇田 憲司 院長
（うだ・けんじ）

経　歴	1959 年広島県福山市出身。1984 年山口大学医学部卒。1989 年岡山大学第一外科入局。1995 年福山市民病院、2002 年福山市民病院外科統括科長。2003 年うだ胃腸科内科外科 乳がん検診クリニック開院。医学博士。
資　格	日本乳癌学会認定乳腺専門医、日本外科学会認定外科専門医
趣　味	ゴルフ、歴史探歩の旅
モットー	自分に嘘をつかない。好きな言葉は「人間万事塞翁が馬」

院長の横顔

　院長は大企業の歯車として働くことに疑問を感じ、医師を志すことを決めたという。手術を含め、治療全般ができる外科医となり、福山市民病院では外科統括科長として毎年多数の外科手術を経験。手術は好きだったが、大病院では患者に寄り添う医療は難しいと感じ、クリニックを開業。何でも相談できる、話しやすい診療を心がけている。

院長からのメッセージ

　疾患を抱えている方は過剰に心配せず、正しい知識を持って、ともに治療していきましょう。私たちは正しい知識をお伝えするとともに、心配事があれば何でもご相談に乗ります。ご家族の方も心配事があれば、遠慮なくご相談ください。

　マンモグラフィだけでは分からない乳がんもあるため、併せてエコー検査を受けることをお勧めします。急に大きくなる乳がんもありますので、検診で異常がなくても月 1 回自己検診を行い、少しでも「おかしい」と感じたら、必ず専門医の診察を受けてください。

●●●●●●
「乳腺診療」座談会

乳腺専門医が考える、
良いかかりつけ医へのかかり方

司会・進行　広島大学病院 乳腺外科　診療講師
舛本 法生
（ますもと・のりお）

1998年藤田医科大学医学部卒。広島大学病院腫瘍外科・乳腺外科、亀田総合病院乳腺科を経て、2011年広島大学病院腫瘍外科・乳腺外科助教。2017年より現職。医学博士。日本乳癌学会認定乳腺専門医、日本外科学会認定外科専門医など。

かわの医院　院長
川野 亮
（かわの・りょう）

1981年川崎医科大学卒。川崎医科大学内分泌外科（現乳腺甲状腺外科）、広島赤十字・原爆病院外科、医療法人錦病院（山口県岩国市）副院長を経て、1995年より現職。医学博士。日本乳癌学会認定乳腺専門医、日本外科学会認定外科専門医など。

香川乳腺クリニック　院長
香川 直樹
（かがわ・なおき）

1986年広島大学医学部卒、同大第二外科入局。1997年から県立広島病院乳腺外科。2008年、同院一般外科部長を辞して、開院。医学博士。日本乳癌学会認定乳腺専門医、日本外科学会認定外科専門医など。

ひろしま駅前乳腺クリニック　院長
長野 晃子
（ながの・あきこ）

2001年広島大学医学部卒、同大第一外科入局。2004年呉医療センター・中国がんセンター外科、2010年呉共済病院外科などを経て、2013年より現職。医学博士。日本乳癌学会認定乳腺専門医、日本外科学会認定外科専門医など。

こころ・やのファミリークリニック　院長
矢野 健太郎
（やの・けんたろう）

2003年徳島大学医学部卒、千葉大学医学部第一外科、千葉県がんセンター乳腺外科、栃木県立がんセンター乳腺外科などを経て、2018年開院。日本乳癌学会認定乳腺専門医、日本外科学会認定外科専門医など。

秋本クリニック　院長
秋本 悦志
（あきもと・えつし）

2004年久留米大学医学部卒。県立広島病院、広島大学病院乳腺外科で乳がん診療。2013年より現職。県立広島病院消化器乳腺外科非常勤。日本乳癌学会認定乳腺専門医、日本外科学会認定外科専門医など。

日本は、欧米に比べて乳がんにかかる人が比較的少なかったが、年々増加している。乳がん検診で引っかかったけど、どこに行けばいいの？　乳房にしこりがあるけど、どうしたらいいの？　そんな声をよく聞く。広島の乳腺専門医に集まっていただき、「乳がんの良い検診、良いクリニック」をテーマに話し合っていただいた。司会は広島大学病院乳腺外科の舛本法生診療講師。

乳腺外科をめぐる状況

舛本：広島で乳腺診療を専門とする先生方にお集まりいただきました。先生方が医師となられた当時の乳がんをめぐる状況はいかがでしたでしょうか？　まずは乳腺外科医をめざした経緯からお話しいただけますか。

川野：僕は 1981 年に川崎医科大学を卒業しました。その当時、川崎医大で乳がんの手術は 50 例前後で、一般外科の中ではマイナーな科でした。薬物療法はホルモン療法が始まったばかりで、術後補助療法は内服薬のみでした。診断は視触診と現在とは比較にならないほど低い性能の超音波診断装置、マンモグラフィ専用の装置はまだなく、一般の X 線撮影装置を工夫して使っていたような時代でした。ホルモン療法は副作用も少なく患者さんによってはよく効き、当時、ほかのがん腫にはない治療法で、乳がんという病気に興味を持つようになり

ました。

香川：僕は川野先生の 5 年下で、1986 年卒業です。当時は、乳がんの手術は全摘手術だけで、胸筋もとる手術が主流でした。外科手術の中では、比較的難易度が低い手術でしたので、卒後 2、3 年の医師が担当することが多く、そのまま外来で術後治療やフォローアップすることも多かった病気です。しかし、がんの治療も進歩し後遺症対策や治療の副作用対策など、専門性が必要になってきたことを、県立広島病院勤務の際に痛感しましたので、乳がんの専門医になろうと決めました。

秋本：僕は 2004 年卒で、初めは外科医をめざしていました。開業医の父親が倒れて帰ることになり、もし自分が 30 年、40 年、地域で働くことになったとき、最後まで診れるような医者になりたいと思い、乳がん診療に進みました。

矢野：2003 年に外科医のキャリアをスタートしました。乳腺は 40 歳代ぐらいの若い患者さんが多く、子どもが小さくて頑張っている、そこを支えていけたらと思い

ました。術前診断から治療、手術、化学療法、緩和療法と一通り全部できるところにも惹かれました。

長野：私は、外科系の手術がある科に入局したくて、当時は臓器別診療科の体制ではなかったため、与えられた症例の手術を経験させてもらう中で乳がんの患者さんと向き合い、また、知り合いから乳がんについて聞かれることも多く、そこは女性医師の需要があるかなと思いました。家庭と仕事の両立を考えたときに、乳腺外科は比較的時間を区切って働きやすいというのもありました。

乳がんになりやすい人の特徴を知ろう

舛本：乳がんになりやすい人の特徴はありますか？

川野：一般的には肥満、アルコール、たばこ。生活習慣病とよく重なっているような気がしますね。あとは妊娠、出産、授乳。そのあたりが重要なファクターじゃないでしょうか。

舛本：数十年前と比べて、乳がんは明らかに増えていますか。

川野：私が開業しているのは人口2万5千人程度の竹原市ですが、1995年に開業した当時と比較して年間に10～20倍の乳がんの方を診断しています。これは驚きです。

舛本：女性の乳がんの生涯罹患率（りかんりつ）は、以前と比べどうでしょうか？

香川：僕が開業したのが12年前で、そのときは23人に1人といわれていました。今は11人に1人です。倍ですね。

舛本：乳がんの原因として、遺伝も関係あるのでしょうか？

香川：乳がんの原因には、遺伝因子と環境因子があります。

環境因子の主なものは女性ホルモンで、女性ホルモンが高い時期が長いとなりやすい。初潮が早くて閉経が遅い、妊娠・出産が遅くて少ない、授乳の時期が少ない、ホルモン補充療法を長くしているなどが関係するのは明らかです。それから閉経後の肥満。脂肪の中で女性ホルモンが増えていくというデータもあります。

舛本：乳がんの患者さんで、どのくらいの方に遺伝が関係しているのでしょうか？

香川：遺伝が関係するのは、7～10%ぐらいですね。

舛本：乳がんの遺伝因子で一番有名なのがBRCA遺伝子で、そこに変異があると、乳がんや卵巣がんになりやすいことが分かっています。どんな方にBRCA遺伝子の検査をお勧めしますか。

秋本：ご家族、血縁の中で、若年発生した乳がんの方や卵巣がんの方がいる。男性であれば前立腺がん、膵がん。そういった方が多い家系には遺伝性のリスクがあるかもしれません。外来の検診の中で、そういったものを拾い上げるという地域の検診として力を入れています。

舛本：乳がんのリスクを下げるためには、どうすればいいでしょうか。

矢野：運動をする、たばこを吸わない、肥満に気をつけるなど、生活習慣病の予防が大事です。糖尿病や喫煙、アルコールなどの生活習慣は、ほかのがんもですが、非常に大きな要素になりますね。

秋本：体重のコントロール、適度な運動、禁煙、酒は1杯までにすれば、リスクは26％下がるといわれます。

舛本：広島大学病院では、恵美先生を中心に女医の先生が中学校や高校に行って、乳がんの啓発的なお話をしています。

長野：良い試みですね。外来に来られる患者さんで、乳房に関する知識がない方が比較的多いので、知識を一般的に広める活動の重要性を痛感しています。

どうしたら検診に行ってもらえる？

舛本：日本の乳がん検診の受診率はどのくらいですか？

長野：統計では4割。少しずつ上がっているといわれていますけど。

舛本：どうして検診を受けないのでしょうか？

長野：私は大丈夫と思っている人が多い。マンモグラフィは痛いというイメージも先行しています。私も何度も受けていますけど、そんなに驚くほど痛くはないですよ。また、実際は怖い病気ではないのに、がんと診断されるのが怖いと言われる方も結構多いです。

舛本：乳がんの治療成績はどんどん良くなっています。早く見つかれば治る可能性が高い病気ですね。

矢野：10年生存率はステージ1で9割前後、ステージ2で8割前後です。早く見つければ生存率が上がると考えられます。

川野：欧米の検診率が高いのは、保険制度が違って、検診を受ければメリットがあるから。罹患率がすごく高いことが周知

されているのもあるのかな。実は最近、竹原市では負担金がゼロになったのですが、なぜか検診は増えません。以前、日本乳癌検診学会では、「仕事帰りの夜間に検診ができるようにしましょう」との発表もありました。

秋本：海田町の検診率は、県内でもかなり上の方です。行政が周知の工夫をしたり、友達の影響や補助が出るのも大きいと思います。

舛本：企業が検診のための「検診休暇」のようなものを考えていただくと、行きやす

いですね。

川野：病気になると治療にお金がかかり、特に、進行した状態になると企業の負担は大きくなります。企業には職域検診の担当者がおられます。早期発見のためにも、担当の方が積極的にかかわってくだされば、職業を持っている方の受診率が上がるのではと思います。

乳がん検診について

舛本：乳がん検診は、何歳ぐらいから始めればよいですか？

香川：国が勧めているのは40歳からです。実際には30歳代から増えるので、30歳代から始めた方がいいですね。あとは、遺伝の要因。親がなっていれば確率が2倍増え、親ときょうだいがなっていれば3.6倍増えます。患者さんの娘さんには、早めにと勧めています。

舛本：検診に行くと、主に何をするのでしょうか。

香川：以前は触診もあったのですが、今、国が勧めているのはマンモグラフィだけです。マンモグラフィの問題点は、放射線被曝（ばく）と偽陰性（ぎいんせい）、つまり、本当はあるのに見つからないということもあり、その辺を解決する必要があります。1回の被曝は、ニューヨーク～東京間を飛行機で行く程度ですが、30歳の方が毎年ずっとマンモグラフィ

検査を続けると2次がんの発生率が高くなり、デメリットが多くなります。

舛本：マンモグラフィが向いていない方もおられますか？

香川：乳腺は白く写り、しこりや石灰化も白く写るので、乳腺の密度が濃い高濃度乳腺（デンスブレスト）だと、がんが発見しにくい。マンモグラフィ検診では、乳がんを20～30％見逃し、高濃度だと50％見逃すというデータもあり、高濃度の人には超音波検査（エコー）の併用をお勧めします。

舛本：マンモグラフィが撮れない方もいらっしゃいますか？

香川：豊胸術や心臓ペースメーカーが入っている人、また、皮膚疾患があって挟むとその皮膚の状態が悪くなる人はできない場合もあります。

舛本：超音波検査の特徴はありますか？

また、超音波検査を受けられない方はいらっしゃいますか？

秋本：豊胸や人工物が入っていても、超音波は問題ないです。超音波のデメリットとしては、石灰化を見つけにくいこと。被曝も痛みもなく、非常に安心な検査ですが、国の補助がないのも問題です。でも、デンスブレストの方は、ぜひ超音波を受けるべきだと思います。

舛本：乳がん検診で要精密検査になっても、広島ですと、精密検査に行かない方が2割以上おられます。精密検査を受診していただくために、どのようにすればよいでしょうか？

矢野：命にかかわってくることですので、家族のこと、自分のことを考えて、もっと啓発活動が必要だと思います。

川野：乳がん検診のシステムとして、検診をいかに管理していくか。市町村の自治体検診でも、企業の検診でも、やりっぱなしではなく、フィードバックをかけて受診勧奨をすることが必要だと思います。また、検診で大事なのは精度管理です。せっかくなら精密検査も含めて、しっかり精度管理のできた施設で受けていただきたいと思います。

セルフチェックについて

舛本：自分で触診する際の注意点がありますか？

長野：自覚として一番多いのは、しこりです。それに気づくためには、普段から乳房をチェックして変わったことがないか、以前なかった硬いものがないか。そういうのが一番ですね。うちでとった統計では、自覚症状はしこり、次が乳頭からの分泌物でした。

舛本：自分で触診するのにいい時期がありますか？　閉経前と後で違いますか？

長野：閉経前の方は、乳房の状態が落ち着いた生理開始10日目頃がいいですね。生理前などは胸が張ってきますので、そういう時期は避けた方がいいです。予約したときにはしこりがあったけど、生理が終わったらなくなったという方がよくいらっしゃいます。閉経後の方は忘れないように月1回、日にちを決めるよう、お勧めしています。

川野：普段の自分の乳房の状態をよく知っておいて、毎月気になったことを書いて、それを比較していくことが大事です。変わったことがあれば、ひょっとしたら異常かなと考えてください。

舛本：乳房の痛みで外来に来られる方もい

パート1
乳腺診療

パート2
産科・婦人科

パート3
不妊診療

パート4
検診施設

らっしゃると思います。痛みは乳がんの心配なサインでしょうか？

長野：基本的に痛みは大丈夫です。痛くてしこりもあれば可能性がありますが、しこりがなくて痛いだけのときは、ほぼ大丈夫です。

舛本：精密検査の施設を選ぶポイントは何かありますか？

川野：広島県の乳がん医療ネットワークに登録している施設は、大きな間違いはないです。あと、日本乳癌学会のホームページに、認定専門医や認定施設が掲載されています。これらは参考にできると思います。

秋本：「ひろしまピンクリボンプロジェクト※」で作ったパンフレットには、県内の精密検査ができる施設のリストを載せています。ホームページでも見られます。

矢野：やはり乳腺専門医を選べば、より確実かなと思います。

舛本：乳がんの治療には、手術、放射線、抗がん剤治療があります。手術は入院が1週間前後、再建手術をしても10日くらいで退院です。そのあと乳がんのタイプやリスクに応じて、抗がん剤治療が3か月から半年。放射線治療は3週間から5週間。ホルモン治療が5年から10年あります。手術、抗がん剤、放射線治療が終わった時点で、多くの基幹施設では、乳腺専門医をはじめとした先生方にフォローアップをお願いすることが多いです。かかりつけ医の手厚い診療を受けていただくことで、患者

さんの日々の不安が軽減されると考えています。

矢野：地域連携はすごく増えていますね。うちではホルモン治療を継続して行い、マンモグラフィを基本的に年に1回。超  音波は被曝もしないので、半年〜3か月に1回ということが多いです。

舛本：術後のフォローアップはどのくらいの期間でしょうか？

矢野：薬の処方は3か月が限度なので、ホルモン治療中の方は2、3か月に1度来てもらいます。反対側の乳がんのリスクも高いので、特に反対側の乳房は気をつけて診ています。

川野：3か月に1回ぐらいの乳房視触診は欠かせないかなと思います。リンパ節が腫れてきた場合など、触診は大事。晩期再発という、眠っていたがんがまた活発になってくることもあります。高血圧で診ていて、15年後に再発を発見できた人もいます。

舛本：術後10年で卒業していただくことが多いですが、確かに長い経過の後に、再発される方もまれにおられます。

秋本：再発が10人いるとしたら10年以内の再発が7人、あとの3人はいつ再発するか分からないよという話をして、かか

りつけ医として診ていきます。

矢野：緩やかな検診の感じで、おばあちゃんになるまで診ていきます。

舛本：10年以上経過しても、時々診察されているということですね。

香川：ホルモン受容体陽性でハイリスクの方は、半年に1回ぐらい来てもらう場合もあります。それ以外は本人の希望にお任せします。注意が必要なのは、検診だけになると、視触診がない。マンモグラフィだけだと分からないことがあるので、気をつけたいですね。

舛本：ホルモン陽性乳がんは、長い経過の後に再発される方もまれにいらっしゃいます。できれば10年以上経った方も、継続的にフォローしていただいたほうが確実です。

川野：反対側に出る対側乳がんも結構ありますね。10年で約1割ともいわれているようです。

秋本：10年以内に出るのが4分の3。それ以降に出るのが4分の1でしょうか。

舛本：乳がんの既往のある方は、反対側の乳房に乳がんができるリスクが高くなりま

すので、やはり10年後も定期フォローが安心だと感じます。

腫瘍マーカーの必要性はどうですか。

秋本：勧められてはいないのが現状ですが、患者さんが何を一番信頼しているかというと、実は腫瘍マーカーかもしれません。

舛本：早期乳がんを発見できるマーカーにはなっていませんが、再発したときの治療効果の指標として役立つことはあるかもしれません。

秋本：もちろん腫瘍マーカーで再発が見つかる方も多いので、やる意味はあると思います。

香川：うちのデータでは、腫瘍マーカーで見つかるのが6分の1ぐらいです。局所・視触診が3分の1。3分の1は全身検査。残り6分の1が症状です。

舛本：術後は、視触診とマンモグラフィ、リスクや年齢を考慮して超音波検査、腫瘍マーカーも適宜行っていらっしゃるのですね。

※ NPO法人 ひろしまピンクリボンプロジェクト
（https://pinkribbon-h.com/）
　乳がん患者への支援・啓発活動などを目的として、2016年設立。女性が健康でいきいきと暮らせるよう、乳がんの早期発見と乳がん患者の生活の質向上をめざして、活動している。

乳がん手術後のフォローアップについて

舛本：手術後の生活の中で、注意する点はありますか。

長野：太らないでください。そのためには運動と食事に気をつけていただく。自分で

一番できることといえば、体重管理ですね。

川野：僕は電子カルテに体重を入れています。身長も入れて、骨粗しょう症の変化も分かるようにしていて、患者さんにデータ

パート1
乳腺診療

パート2
産科・婦人科

パート3
不妊診療

パート4
検診施設

のグラフを見せ、ビジュアルで訴えます。閉経後でホルモン療法をされている方は骨密度が下がることが多いので、必ず調べています。

矢野：うちも、骨粗しょう症の治療を入れる方もいらっしゃいます。

川野：意外と落とし穴がホルモン治療のLH-RHで、すとんと落ちる方がいらっしゃる。化学的閉経になって一気に下がり、40歳代ぐらいで閉経に入ってしまいます。

香川：僕は、早くから術後のリンパ浮腫と関節可動域に注目しています。手がちゃんと上がるかどうかとか、後ろに回るかを診察のときに聞いて、むくみをチェックしていきます。高リスクの人は定期的に測定して、予防をしっかりしてねとお話しします。

舛本：体重管理・骨粗しょう症を重点的にフォローいただいているのですね。生活習慣の観点からも大切です。リンパ浮腫について、患者さん自身で注意していただくことはありますか？

香川：ケガをしないこととスキンケアですね。

川野：意外とあるのが庭いじりで、爪の間に土が入ったままにしているとリスクがある。深爪も良くないですね。

舛本：手術を受けた側の腕や手には、細心の注意を払っていらっしゃるのですね。ご家族に病気のことをどのように、そしていつ頃ご説明するようにされていますか？

秋本：診断から入るので、告知の状況のときに聞いてほしい人には一緒に来ていただきます。伝言ではなくて、一緒に知識を共有してスタートすることは大事かなと思います。

長野：子どもにどう伝えたらいいかというのはよく聞かれます。私にも小学校高学年の子どもがいます。中学生なら説明すればわかる子が多いのですが、難しいのは小学校中学年ぐらいのお子さんです。がんは怖い病気だと不安がる。わかるお子さんには、ちゃんと治療すれば治る病気だと伝えてあげた方がいいです。うちは、私よりも看護師が患者さんの話を聞いたりして、スタッフのサポートも大きいです。

香川：言いにくいことを、メモ書きにして持って来られるのもいいと思います。

舛本：患者さんが治療に専念できるよう、考えていただいているのですね。
再発をすごく不安に思う方に、不安を軽減していただくために、どのようなことをされていますか？

矢野：話をよく聞いてあげることですね。うちは地域のクリニックで受診しやすいので、コミュニケーションをよくとって、基幹病院で聞けなかったら、うちで追加で解説することもできます。

舛本：患者さんに寄り添った診療をされているのですね。
クリニックで特に考えておられる取り組みはありますか？

川野：勤務医の頃は、進行した乳がんが再

発して亡くなる方を、どうやったら減らせるかを常々考えていました。開業した今は何が貢献できるかとなると、早期発見です。治る乳がんを見つけたいと考えています。

秋本：早期発見・早期治療が私たちの一番の思いであり、私たちの仕事だと思います。

川野：予後が良くなったのは、化学療法、標準治療、検診が大きい。当院は地方にあり、患者さんのためになることは可能な範囲でさせていただくということで、化学療法に可能な限り取り組んでいます。

香川：標準治療をしっかりできるということを目標にしているので、うちも化学療法を行っています。不安をできるだけ払しょくできるようにして、「いつでも連絡していいですよ」ということを心がけています。

舛本：これから受診を考えている方にメッセージをお願いします。

長野：乳がんは、早く見つかればほぼ完治しますし、ある程度進行していても有効な治療が多いので、ほかのがんに比べると怖くないということですね。

川野：この話を聞いた時点で行こうと思ったら、すぐ受診してください。

舛本：先生方、本日は大変ありがとうございました。ぜひ広島の乳腺診療を、今後も発展させていくことができればと思います。

乳腺診療のさらなる発展に向けて話し合っていただいた

●更年期障害

卵胞ホルモン（エストロゲン）など女性ホルモンの分泌が低下することで、主に40〜50歳代の女性におこる症状のこと。個人差がかなり大きく、「顔のほてり・のぼせ」「異常な発汗」「動悸」「めまい」「情緒不安」「イライラ」「抑うつ気分」「不安感」「不眠」などさまざま。

●器質性

組織や細胞で構成される器官の形状的な（解剖学的）性質のこと。対語は「機能性」（器官が本来持っている働き・能力）。

●子宮脱（性器脱、腟脱）

骨盤臓器脱の一つで、子宮が腟内に下がってきたり、腟の外に飛び出している状態のこと。

●子宮頸部上皮内腫瘍（子宮頸部異形成）

子宮頸がんの前がん状態（がんになる前）のことで、軽度（CIN1）・中等度（CIN2）・高度（CIN3）に分けられる。

●上皮内がん

悪性のがんとは異なり、腫瘍が上皮（内臓の表面を覆っている粘膜の一部。粘膜層）内にとどまっている状態のこと。

●腹腔鏡手術

お腹の壁に小さな孔を開けて、カメラ（内視鏡）をお腹の中（腹腔）に挿入し、内視鏡と接続されたモニターに映った腹腔内の映像を見ながら行う手術のこと。

●レーザー蒸散術

レーザーで腫瘍を焼いて治療を行う手術の方法。

●核出術

正常の部分を温存し、腫瘍の部分のみを取り除く手術の方法。

●多胎妊娠

同時に2人以上の胎児を妊娠すること。1人の場合は「単胎妊娠」という。

●切迫早産

子宮収縮（お腹のはりや痛み）が規則的かつたびたび起こり、子宮の出口が開いて胎児が出てきそうな状態のこと。破水が先に起きたり、同時に起きることもある。

●前置胎盤

本来、子宮体部に付着している胎盤（妊娠後につくられる器官で、へその緒で胎児と妊婦をつなぎ、血液・栄養分・酸素を胎児に送る）が、何らかの理由で子宮頸部の出入り口（内子宮口）付近に付着し、内子宮口の一部あるいは全部を覆ってしまう状態のこと。

パート2
産科・婦人科

解説　産科・婦人科

年代別にみる 産科・婦人科疾患の傾向・治療

広島市民病院　産科上席主任部長・婦人科主任部長

児玉 順一 （こだま・じゅんいち）

[経歴]　1985年岡山大学医学部卒、産科婦人科入局。1991年より岡山大学病院勤務（21年間）。同准教授を経て、2012年広島市民病院着任。現在、産科上席主任部長・婦人科主任部長・総合周産期母子医療センター部長。日本産婦人科手術学会理事、岡山大学医学部臨床教授、広島県立大学非常勤講師など。
[資格]　日本産科婦人科学会認定産婦人科専門医、日本婦人科腫瘍学会認定婦人科腫瘍専門医など。

産婦人科は、女性が人生を送る上でなくてはならない診療科だ。女性のライフステージは「思春期」「性成熟期」「更年期」「老年期」に分けられ、産婦人科医は妊娠・分娩はもちろんのこと、それ以外にこれらの各ステージに起こるさまざまな病気に深く関わっている。ここでは、広島市民病院産科・婦人科の児玉順一主任部長に、各ステージの代表的な病気や症状、治療法などについて話を伺った。

思春期（10〜18歳）

　思春期とは、初経（初潮）が始まってから月経が安定するまでの期間をいいます。思春期の代表的な病気には、無月経と月経困難症（月経痛）があります。初経が14歳までにみられないものを思春期遅発症と呼び、詳しい検査や、場合によっては治療が必要です。

　月経困難症とは、月経期間中に起こる下腹痛および腰痛のことですが、腹部膨満感、吐き気、頭痛、疲れやすい、いらいら、憂うつなどの症状を伴うことがよくあります。思春期での月経困難症は、通常、器質的病気（子宮筋腫など）を認めない月経困難症で、初経後2〜3年より始まり、好発年齢は15〜25歳です。

　原因は子宮筋の過度の収縮といわれてお

り、鎮痛剤やホルモン剤の投与などで治療を行います。最近では、早めにホルモン剤で治療することで、後述の子宮内膜症を予防できる可能性があるといわれています。

性成熟期（19 〜 45 歳）

性成熟期では、女性ホルモンの分泌が順調になって月経周期が安定し、特に性成熟期の前半は妊娠・出産に最も適した状態になります。一方で、昨今の晩婚化に伴い、不妊治療が必要なケースも増加しています。

性成熟期の女性の 70 〜 80％が、月経前に何らかの心身の変調を自覚します。多く見られる症状として、いらいら、のぼせ、下腹部膨満感、下腹痛、腰痛、頭重感、怒りっぽくなる、頭痛、乳房痛、落ち着かない、憂うつなどがあります。これらの症状は、月経開始の 3 〜 10 日くらい前から始まり、月経開始とともに消失します。症状が強い場合には月経前症候群と呼ばれ、日常生活に支障をきたす場合には治療の対象となり、生活指導や薬物療法が行われます。

性成熟期に認める良性の腫瘍・類腫瘍として代表的なものに、卵巣嚢腫（良性の卵巣腫瘍）、子宮内膜症、子宮腺筋症などがあります。また、性成熟期の終わり頃からは、悪性の疾患である子宮頸がん、子宮体がん、卵巣がんも少しずつ増えてきます。

以下に、代表的な疾患の症状や治療についてくわしく説明します。

●子宮筋腫

子宮筋腫は、子宮の筋層にできた良性の腫瘍です。小さなものも含めると、性成熟期の女性の約 30％にみられます。子宮筋腫は、性成熟期には卵巣から分泌される女性ホルモンによって大きくなりますが、閉経すると女性ホルモンが減少するため小さくなります。複数個できることが多く、大きさやできる場所によって症状が異なります。

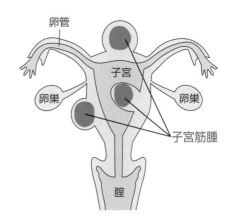

主な症状は、過多月経（月経量が多くなること）、それに伴い貧血になること、月経困難症です。その他に、月経時以外の出血、腹部膨満感、腰痛、頻尿、便秘などの症状があります。不妊、流産、分娩障害な

パート1
乳腺診療

パート2
産科・婦人科

パート3
不妊診療

パート4
検診施設

どの原因になることもあります。一方で、症状がない場合も多く、小さければ治療の必要はありません。症状がある場合には治療が必要となり、治療法には手術療法と薬物療法があります。

手術は、子宮全摘術（子宮をすべて摘出）と子宮筋腫核出術（筋腫だけを摘出し子宮を残す）があります。将来的に子どもが欲しい人や、子宮を残したいと強く希望する人には後者の手術を実施します。ただし、小さな筋腫は摘出が難しく、数年後に子宮筋腫が再発することがあります。

最近では、開腹手術よりも腹腔鏡手術（お腹の壁に小さな孔を4か所ほど開け、内視鏡と呼ばれるカメラをお腹の中に挿入し、内視鏡と接続されたモニターに映ったお腹の中の映像を見ながら行う）が一般的になってきましたが、大きさや個数によっては腹腔鏡手術が難しい場合もあります。

子宮筋腫を根本的に治す薬は今のところありませんが、薬で一時的に子宮筋腫を小さくしたり（半年の使用で体積が約45%減少）、症状を軽くすることは可能です。薬の治療では、偽閉経療法（月経を止める治療）が行われます。以前は、点鼻薬（鼻からのスプレー剤）と注射薬（皮下注射）の2種類でしたが、最近、内服薬が使えるようになりました。

この治療では、女性ホルモンの分泌が減少するため更年期の症状が出たり、骨量（骨内のカルシウムなど）が減少するため、使用期限が半年以内と決められています。治療を中止すると元の大きさに戻るため、手術前の一時的な使用や、閉経が近い年齢の方などの一時的な治療として行われています。

その他の治療法として、子宮動脈塞栓術（子宮動脈〈子宮を栄養する血管〉をカテーテルを用いて塞栓物質で人工的に塞ぐことで、腫瘍への栄養供給を止める）があり、症状改善率は80〜90%とされています。

●卵巣嚢腫

卵巣腫瘍（卵巣に腫れが生じた状態）は、良性、境界悪性、悪性（卵巣がん）の3つに大別され、良性のものの多くは卵巣にできた袋の内部に液体の貯留があり、これを卵巣嚢腫と呼びます。卵巣の片側に発生し（両側に発生することも）、女性の約5%程度に発生するといわれています。

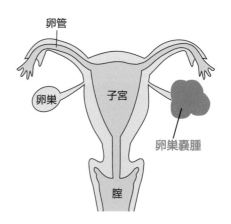

卵巣は骨盤の奥深いところに位置するため、卵巣が多少腫れてきても症状はありま

せんが、腫大した卵巣嚢腫による重みで、隣接する卵管と一緒に子宮の根元でねじれてしまった場合には、急激な腹痛が生じ（茎捻転）、その場合には緊急手術が必要となります。

いろいろなタイプの卵巣嚢腫がある中で、最も多いタイプは成熟嚢胞性奇形腫と呼ばれています。袋の中には皮脂、髪の毛、歯・骨の成分などが入っており、これは卵子が単独で増殖することで発生します。他に、漿液性嚢腫（さらさらした液体が溜まる）や粘液性嚢腫（ねばねばした粘液が溜まる）などがあります。粘液性嚢腫は非常に大きくなることがあり、お腹が膨らんでくることもあります。

治療は手術療法となり、核出術（嚢腫だけを摘出）と卵巣を嚢腫ごと全摘する方法がありますが、多くの症例で腹腔鏡手術が可能です。

●**子宮内膜症・子宮腺筋症**

子宮内膜症とは、子宮内膜（子宮の内面を覆う組織）に似た組織が、子宮の内面以外の場所（卵巣、骨盤腹膜など）にできて増える病気で、性成熟期女性の約10％に発生するといわれています。

子宮内膜症では、子宮内膜と同様に女性ホルモンにより周期的に増殖し、月経と同じように出血します。最もできやすい場所は卵巣で、卵巣の中に出血が起こり、徐々に腫れていきます。中身は古い血液で、チョ

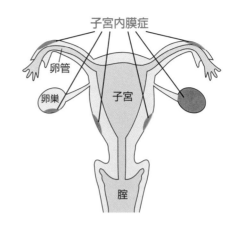

コレートを溶かしたような液体が溜まるため卵巣チョコレート嚢胞と呼ばれています。また、子宮周囲の骨盤腹膜にも好発します。

代表的な症状は、月経困難症、慢性骨盤痛、性交痛、排便痛などです。また、不妊の原因になることも分かっているため、未婚の方に見つかった場合には、早い時期から適切な治療が必要となります。また、卵巣チョコレート嚢胞は卵巣がんのリスク因子になることも分かっています。

子宮腺筋症とは、子宮内膜に似た組織が子宮筋層内にできたものをいい、月経痛、過多月経、骨盤痛などが見られます。

子宮内膜症や子宮腺筋症の治療には、薬物療法と手術療法があります。薬物療法としては鎮痛薬のほかにホルモン療法が行われ、手術療法としては妊娠を望む場合には病巣部のみ摘出する手術、望まない場合には根治手術を行います。

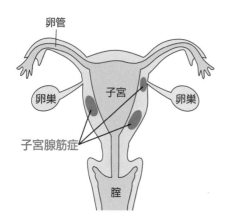

卵管

卵巣　子宮　卵巣

子宮腺筋症

膣

●悪性疾患
(子宮頸がん・子宮体がん・卵巣がん)

　昨今、いずれのがんも罹患数・死亡数ともに増加傾向にあります。「罹患数」は子宮体がん・子宮頸がん・卵巣がんの順で、「死亡数」はその逆の順で多くなっており、子宮体がんは治りやすく、卵巣がんは治療が難しいがんといえます。

　子宮頸がんは検診により前がん病変で見つかることが多く、子宮頸部の局所切除（子宮頸部円錐切除術）で治療ができ、将来的な妊娠分娩も可能です。

　子宮体がんは月経時以外の出血やおりものが、がん発見の大きな手がかりとなります。普段とは違う出血がある場合には、早めに検査を受ければ初期段階での発見が可能です。治療は子宮摘出が基本となりますが、ごく初期の場合には、ホルモン療法で子宮を温存する治療が可能な場合もあります。

　卵巣がんは進行が早いのが特徴で、お腹の中にがんが散らばった状態（がん性腹膜炎）で発見されることも珍しくありません。治療は、手術と抗がん剤の組み合わせが基本になります。最近では分子標的薬も使用可能となり、治療成績が上がっています。

●周産期

　2019年の人口動態統計の年間推計では、国内の出生数が86万4000人と発表されましたが、前年比から約6％減と急速に減少し、初めて90万人を下回って少子化が加速しています。妊娠・出産は病気ではありませんが、妊娠や出産時にはさまざまなリスクを伴うこともあり、近年の妊産婦の高年齢化や背景の多様性に伴って、ハイリスク妊娠が増えています。

　ハイリスク妊娠とは、妊婦や胎児のいずれか、または両者に重大なトラブルが起こる可能性が高い妊娠をいいます。「心臓病・糖尿病・腎臓病など何らかの病気を持っている」「前回の妊娠・出産に異常があった」「胎児に何らかの異常を認める」「多胎妊娠」「妊娠高血圧症候群（妊娠時に高血圧を発症した場合）」「切迫早産」「羊水量が多すぎる。または少なすぎる」「前置胎盤」などがあげられます。ハイリスク妊娠は、妊娠中の経過だけでなく、出産時にもトラブルが起こる可能性が高いので注意が必要です。

　県内には、これらのハイリスク妊娠に対応できる「総合周産期母子医療センター」が広島市民病院と県立広島病院の2か所、

「地域周産期母子医療センター」が広島大学病院など8か所あります。

　総合周産期母子医療センターは、「母体胎児集中治療室（MFICU）を6床以上、新生児集中治療室（NICU）を9床以上持ち、相当規模の母体・胎児集中治療管理室を含む産科病棟および新生児集中治療管理室を含む新生児病棟を備え、常時の母体および新生児搬送受け入れ体制があり、ハイリスク妊娠に対する医療および高度な新生児医療等の周産期医療を行うことができる医療施設」をいいます。

　地域周産期母子医療センターは、「総合周産期母子医療センターに準ずる産科および小児科等を備え、周産期に関わる比較的高度な医療行為を行うことができる医療施設で、総合周産期母子医療センターを補助する施設」をいいます。日本は、諸外国と比較して最も安全なレベルの周産期体制を提供しており、かかりつけクリニックと周産期母子医療センターが連携して安全な妊娠管理や出産に臨んでいます。

更年期（46～55歳）

　閉経前後の5年間が更年期にあたります。この期間に現れるさまざまな症状を更年期症状と呼び、これらの症状が日常生活に支障をきたす場合、更年期障害といいます。よく見られる症状としては、肩こり、疲れやすい、頭痛、のぼせ、腰痛、汗をかく、不眠、イライラ、皮膚掻痒感、動悸、気分が沈む、めまいなどがあります。薬物療法として、ホルモン補充療法や漢方療法などが行われます。

老年期（56歳～）

　加齢を背景として起こるものとして、骨盤臓器脱があります。骨盤臓器脱とは、子宮の下垂・脱出（子宮下垂・脱）とともに、腟壁がゆるんで、その奥にある膀胱や直腸が下垂・脱出した状態をいいます（膀胱瘤、直腸瘤）。入浴中などに股の間にピンポン球のようなものが触れたり、歩行時に股の辺りに何かが下がっているような違和感があります。

　朝は症状が少なく、夕方以降に症状が出やすいのが特徴で、進行すると排尿障害や排便障害が出ることがあります。加齢以外に、出産、肥満（腹圧がかかる）、便秘、重いものを持つなどが原因といわれており、長期的に見れば、ほとんどの場合でゆっくり進行していきます。リング状のペッサリーを腟内に挿入して子宮を正常の位置に押し上げる方法や、手術療法が行われます。

広島市中区

女性の医師とスタッフが、心から安心できる医療を提供

さだもり
レディースクリニック

貞森 理子 院長

主な診療内容

○更年期障害、月経関連疾患、思春期疾患

○婦人科腫瘍、乳がん術後の子宮・卵巣の検査

○不妊診療

○産科

クリニックの強み

○医師からスタッフまですべて女性であり、気軽に受診できる

○対面式のリラックスできる室内環境で、一人ひとりに寄り添う丁寧な診療

○総合病院をはじめ他科診療科の開業医とも連携

診療時間	月	火	水	木	金	土	日
10：00～13：00	○	○	12:00まで	○	○	12:00まで	休診
15：00～17：30	○	○	休診	○	○	休診	休診

＊祝日は休診　＊月～金曜は予約もでき、予約外も可　＊土曜は完全予約制
＊初診受付は診療時間終了30分前まで

住　所	広島市中区大手町 2-7-2 Balcom 大手町ビル 4F
TEL	082-242-1132
HP	https://sadalc.cc
駐車場	なし

● 女性の三大良性疾患（子宮筋腫、子宮内膜症、子宮腺筋症）をはじめ更年期障害、月経関連疾患や卵巣疾患などの診断・治療を行っており、子宮がん検診など各種検査も手がける。貞森院長は、大学病院を中心に産婦人科の臨床現場で内視鏡手術、婦人科がん手術、周産期疾患治療（分娩、NICU管理）、体外受精など幅広く経験し、その技術を生かして疾患を見逃さないよう、患者一人ひとりに時間をかけて丁寧に向き合っている。

クリニックの概要

診療科目と領域

　貞森院長の専門は内分泌や婦人科腫瘍で、更年期疾患、月経関連疾患、婦人科腫瘍疾患を得意分野としている。現在、診療内容で多いのは、女性の三大良性疾患、月経にまつわる異常（月経困難症、月経不順、不正出血、排卵痛、月経前症候群など）、更年期障害、乳がん術後の子宮・卵巣の検査など。

　通院中の患者の勧めで来院する人が圧倒的に多く、他施設や健診所などからの紹介も多い。40歳代を中心に10～90歳代まで幅広い年代の患者が、広島市内だけでなく、県外からも数多く訪れる。

診療ポリシー

　院長は「一人ひとりの女性に寄り添いたい」「少しでも楽になって安心してもらいたい」との思いを大切にしている。「かかりつけ医の役割は、地域の人々に一番近い場所で向き合い、症状を訴えてきた患者さんに対して、的確な診断をつけて寄り添うことです。治るための力は患者さん自身が持っており、医師はその手助けをすることに注力することが重要です」と話す。

　同院は、医師・スタッフ全員が女性。男性の入室は制限し、業者でも診療時間内の出入りを禁止している。男性同伴の患者は、時間をずらして他の女性患者へ配慮している。

受付

待合室

パート1
乳腺診療

パート2
産科・婦人科

パート3
不妊診療

パート4
検診施設

診療の特色・内容

すべての年代で婦人科検診が大切

　1986年の男女雇用機会均等法の施行以降、女性の社会進出はめざましく、その一方で、妊娠出産可能年齢とキャリアアップの年代が重なり、晩婚化・少子化へとつながっていった。

　そうした中、長期にわたって月経にさらされている現代女性に増えているのが子宮内膜症である。初経以後、早期に強い月経痛を持つ女性は、子宮内膜症につながるリスクがある。子宮内膜症は不妊と関連があり、また、悪性化や心脈管系疾患のリスクもあり、

閉経後でも起こりうる可能性がある。

　そのため、「どの年代でも婦人科検診は大切で、一生、付き合っていただきたい診療科です」と院長は話す。

更年期障害・月経関連疾患・子宮がん検査

　同院は、更年期障害や月経関連疾患を訴える患者も多い。女性の平均閉経年齢は50～51歳で、その前後各5年間が更年期である。その間は、卵巣機能低下に伴って女性ホルモンが減少し、身体的変化や、精神・心理的な要因、社会文化的な環境因

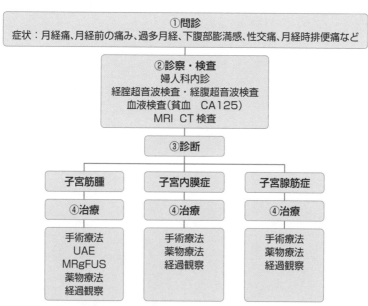

手術 UAE MRgFUS の場合は紹介
薬物療法は、ホルモン治療や漢方、鎮痛剤など、症状所見に見合った方法を選択

図　同院での子宮筋腫、子宮内膜症、子宮腺筋症の診断治療手順

貞森院長の丁寧な診察

院長とスタッフ

子などが複合的に影響することで、更年期症状が出現すると考えられている。

　更年期症状の中で、日常生活に支障をきたす病態を更年期障害という。症状はさまざまで、他科疾患がないことの見極めが重要。院長は、患者の話をよく聞きながら必要な検査を行い、診断を行う。

　月経困難症は大別すると、器質性月経困難症（き しつせい）と機能性月経困難症の2つがある。器質性月経困難症は、子宮筋腫や子宮内膜症、子宮腺筋症のような疾患に伴って起こる症状であり、機能性月経困難症は頸管狭小（けいかんきょうしょう）や内因性生理活性物質による子宮の過収縮によって起こる症状とされている。排卵痛は、排卵の時期に起こる痛みを指し、通常、排卵は月経開始の約14日前に起こるとされる。また、月経前症候群は月経前3〜10日間持続する精神的・身体的症状で、月経発来とともに減退または消失するものをいう。

　月経困難症、排卵痛、月経前症候群などの月経関連疾患は、女性のQOL（生活の質）を低下させるばかりでなく、集中力の低下を引き起こし、学業や仕事にも影響を及ぼす可能性がある。院長は、「家族や友人など近くで見ていて、援助が必要と思ったらぜひ受診を勧めてほしい」と話す。

　同院では、乳がんを診ている医師からの紹介などで、乳がん術後に子宮がん検査・卵巣の検査を受けに来る人も多い。意外に知られていないが、乳がんと子宮体がん・卵巣がんには関連がある場合があり、乳がん手術後の子宮・卵巣のフォローは大切という。

痛くないよう、リラックスできるように

　診察室ではできるだけリラックスして話せるように、医療用ではなく家具の対面式テーブルを使用し、顔と顔、目と目を合わせて話すことができる。また、10歳代や内診が怖い患者などには、できるだけ工夫して痛くない診察を心がけているため、「検査や診察が痛くない」とよく言われる。

　施設面では、清潔な室内環境や内診室にこだわり、さらに、超音波検査はできるだけ最新機器を導入。内診器具も痛みが少ないよう配慮し、慎重に検査を行っている。さらに、予約システムの導入や、デジタルサ

イネージ（患者に必要な情報を通知）の設置、自宅で診察から薬の説明・受け取りまで可能な、オンライン診療へも対応している（通院中の再診が対象）。

分かりやすく、丁寧な診療を心がける

同院は、基本的には保険診療を基準に行う。すべての検査や治療法を患者が納得するまで説明し、治療では経過が順調かどう

かを把握して副作用がないよう心がける。院内での検査や治療が困難な場合は迅速に連携病院へ紹介し、患者に不利益にならないよう努めている。

院長は、患者一人ひとりに十分に時間をかけて診察している。「分かりやすく、丁寧に、しっかり説明しているので、どうしても待ち時間が長くなってしまい、そこが悩みの種です」と話す。

DATA

診療科目	診療・検査内容
女性医学	更年期障害治療（ホルモン補充療法含む）、思春期疾患治療、避妊、漢方治療、骨粗しょう症検査、性病検査、ブライダルチェック、婦人科一般検査治療
婦人科腫瘍	細胞診、組織診、超音波検査、血液検査、CT・MRI は他院と連携し読影説明
不妊	不妊一般検査、精液検査、排卵誘発治療
産科	初期の診断、超音波検査
沿革	2012 年 9 月 1 日開院
スタッフ	産婦人科医 2 人（うち非常勤 1 人）、看護師 3 人、事務員 4 人 [2020 年 6 月時点]
設備	超音波画像診断装置 2 台、血液検査機器、骨粗しょう症検査機器、内診台 2 台、自動血圧計
連携病院	広島大学病院、広島市民病院、土谷総合病院、県立広島病院、安佐市民病院、中電病院、広島赤十字・原爆病院、JR 広島病院、広島記念病院、舟入市民病院、倉敷成人病センターなど
実績	総患者数／1 万 4898 人 子宮筋腫 1158 例、子宮内膜症 236 例、子宮腺筋症 259 例、更年期障害 325 例、月経困難症 553 例、細胞診検査数 2995 例、子宮頸部異形成 548 例、子宮内膜増殖症 17 例、子宮頸がん発見数 4 例、子宮体がん発見数 3 例、乳がん術後の子宮卵巣検査数 148 例 [以上、2019 年 1 月〜 12 月]

PROFILE

貞森 理子 院長
(さだもり・りこ)

経　歴		1969年広島県豊田郡大崎上島出身。1994年福岡大学医学部卒。福岡大学病院での勤務を中心に、麻生飯塚病院、牛深市民病院部長などを経て2006年広島市に転居。同年医療法人社団正岡病院、2010年しいのレディーズクリニック。2012年さだもりレディースクリニック開設、院長就任。医学博士。
資　格		日本産科婦人科学会認定産婦人科専門医
趣　味		合唱、音楽鑑賞、旅行、テニスなど （医学部時代は軟式テニス部で九州山口医科学生体育大会優勝）
モットー		「感謝と敬意」「創造力」

院長の横顔

　院長の父は瀬戸内海の小さな島で産婦人科の診療所を開業していた。夜中にお産で呼ばれる父の姿に、産婦人科医にはなりたくないと思っていた院長だったが、父の偉大さを認識し、同じ道を選択。医師になってからは臨床に打ち込み、技術を習得。その後開業の夢を抱き、縁あって、しいのレディーズクリニックを継承開院。前院長から引き継いだスタッフの協力があり、現在まで継続できたことはこの上ない幸せと思っている。離島で育ったため過疎地域や産婦人科医がいない地域への恩返しのため、現在は非常勤で安田病院（竹原市）、実家の田村医院（大崎上島）にも勤務している。

院長からのメッセージ

　婦人科領域は相談しにくい分野です。長い時間悩むより、まずは専門医にご相談ください。きっと楽になると思います。

　婦人科疾患の中には女性のQOLを低下させる要因となる疾患が潜んでいます。このくらいの症状なら大丈夫と黙認せず、多忙だからと先延ばしにせず、一度自分の体と向き合いましょう。心身が元気であってこそ、何かに集中できるのです。

　元気な方も毎年婦人科検診は大事です。ぜひ、かかりつけ医を持ちましょう。

広島市中区

万全のチーム医療で、幸せなお産をサポート

中川産科婦人科

中川 仁志　院長

主な診療内容

○産科（妊婦健診、無痛分娩、新生児検診）

○婦人科一般診療、不妊症、更年期・抗加齢診療

医院の強み

○産科医、麻酔科医、助産師、看護師らのチーム医療による安心の「無痛分娩」

○産後院を併設し、授乳や育児など、産後の相談にきめ細やかに対応

○母体救命システムと新生児蘇生法への対応で、急変時に備える

診療時間	月	火	水	木	金	土	日
9:00〜12:30	○	○	○	休診	○	○	休診
15:00〜17:30	○	○	○	休診	○	14:30〜17:00	休診

＊祝日は休診　＊原則予約制　＊急患は随時受付

住　所　広島市中区本川町2-1-16

TEL　082-231-2832

HP　http://www.nakagawa.or.jp/

駐車場　あり（専用・提携駐車場 計約40台）

● 平和記念公園に近く、広島市中心部の産婦人科として、半世紀にわたり広島市民に親しまれてきた同院。モットーとしているのが、「安全で安心できる、幸せなお産」。広島地域では数少ない「無痛分娩」を実施しており、それを求めて来院する妊婦が目立つ。複数の医師による迅速で的確な診断・治療、母体救命、産後ケアにも力を入れる。充実した施設・設備や、一流ホテル・有名結婚式場の元シェフが手がける料理も魅力だ。

医院の概要

診療科目と領域

　広島市中心部にあるため市内全域から患者が集まり、その約9割が妊娠・出産にかかわる周産期医療が目的だ。また、月経異常、不妊症、更年期障害など女性の身体におこるさまざまなトラブルや、がん検診、プレママ検診（ブライダルチェック）など、あらゆる年代の女性の健康づくりへのサポートを行っている。女性の産婦人科医も在籍しており、気軽に受診することができる。

診療ポリシー

　1970年の開院以来、地域に根付いて患者との対話と信頼（Talk & Belief）の関係を大切に診療を行ってきた。新施設オープン（2003年）に伴い、妊産婦がより快適な環境で安心して診療を受けられるよう、最新の医療設備・機器の導入やアメニティの充実にも力を注いでいる。

　母体や新生児の急変時に備えて、定期的にJ-CIMELS（日本母体救命システム普及協議会）やNCPR（新生児蘇生法）のシミュレーショントレーニングを実施。また、さまざまな妊産婦のニーズに応えるため、全国の産婦人科施設と定期的に情報交換を行う。さらに、質の高い的確な医療を提供するため、複数医師による多視点とスタッフ間のコミュニケーションを大切にしたチーム医療で妊産婦をサポートしている。

ラウンジ

特別室

パート1
乳腺診療

パート2
産科・婦人科

パート3
不妊診療

パート4
検診施設

診療の特色・内容

9割が周産期の患者

同院は、妊娠・出産にかかわる周産期の患者がおよそ9割を占める。妊婦健診では、毎回4D超音波検査（4Dエコー）を行い、「産婦人科診療ガイドライン」に沿って各種検査（子宮頸がん検診、血液検査、腟分泌物培養など）を実施する。内科的な合併症（糖尿病、膠原病、高血圧など）がある妊婦は、内科専門医と連携して周産期管理を行う。

多胎妊娠や妊婦健診で胎児に異常が認められた場合は、ハイリスク妊娠としてNICUなどの設備やスタッフが整う総合病院に紹介。広島大学病院、県立広島病院、広島市民病院、広島赤十字・原爆病院、土谷総合病院と連携して、患者の容体が急変した場合にも迅速に紹介して診療を進められる体制を整えている。

チーム医療で無痛分娩に対応

同院独自の取り組みとして、チーム医療による「無痛分娩」があり、痛みの少ないお産を希望する患者（全分娩数の約15%）に、硬膜外麻酔による無痛分娩を行っている。同院の無痛分娩は、産科医、助産師、産科看護師に産科麻酔科医が加わり、チーム医療で分娩管理を行う。中でも不可欠な存在が産科麻酔科医で、麻酔科専門医の中川聖子医師が担当する。

出産予定日の1〜2週間前を無痛分娩実施日とし、陣痛促進剤を使用する計画分娩が基本となる。無痛分娩は安全第一であり、多くの人員を配置して行うため、毎月一定の件数（10件程度）に制限している（事前予約要）。

無痛分娩に対する同院の思い

無痛分娩は欧米では一般的だが、国内では産科を専門とする麻酔科医の数が少ないため、出産全体の約6％と普及率が低い。同院では計画無痛分娩だが、東京には24時間いつでも無痛分娩に対応する先進

中川洋副院長による診察

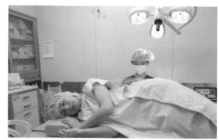

無痛分娩

的な施設があり、同院はその施設で研修を受け、約3年前から本格的に無痛分娩の取り組みを開始している。広島地域では総合病院でも無痛分娩に対応していないため、同院での無痛分娩を希望する妊産婦が増加しているという。

　無痛分娩のメリットは、分娩経過中の痛みがなくなる上に、①母体の循環呼吸器系ストレスの軽減、②精神的ストレスの軽減、③乳児へのストレスの軽減、④出産後の体力の早期回復、⑤無痛分娩中に帝王切開が必要になった場合、迅速に移行可能、などがあげられる。

　同院は広島市中心部に立地しているため、仕事やキャリアを積んだ、年齢の高い妊産婦が多い。高齢妊娠になるほどハイリスク妊娠となり、難産の確率は高くなる。このような高齢妊産婦の両親もまた高齢のため、親による育児サポートが期待できない。

　同院では、「妊産婦が陣痛の痛みから解放されることで体力が温存され、一日でも早く育児に取り組んでもらえたら」という

思いがある。さらに、出産時の痛みがトラウマになっている女性が無痛分娩で次回の家族計画を積極的に考えることができれば、「少子化対策の一端になるのでは」との思いもある。

産後ケアのための産後院や保育所を設置

　出産後は、入院中のスケジュール管理を個別のタブレット端末で行う。タブレットではスケジュール管理のほかに、育児や授乳などの教育動画を観ることができ、空き時間の活用にもなっている。食事は、厳選された食材をふんだんに使用したメニューを提供。中でも、フランス料理のフルコースのスペシャルディナーは好評だ。

　出産後のケアにも力を入れており、授乳や育児など、産後の不安や悩みの相談の場として産後院を開設。経験豊かな助産師が産後ケアに対応し、産後うつの予防に努める。また、新生児の1か月検診は広島大学病院の小児科医が担当し、順調に発育・成長しているか診察して異常の早期発見に努めている。

なかがわ産後院

保育所なかがわワルツ

パート1
乳腺診療

パート2
産科・婦人科

パート3
不妊診療

パート4
検診施設

　同院には企業内保育所もあり、勤務スタッフの赤ちゃんを預かって、育児支援をしている。同院で産まれた赤ちゃんは時間制で預かってもらえるため、気分転換になると母親たちに喜ばれている。

DATA

診療科目	診療・検査内容
産科	妊婦健診、無痛分娩、新生児検診、産み分け指導
婦人科	婦人科一般診療（子宮がん検診、月経困難症など）、不妊症、更年期・抗加齢診療、漢方療法
沿革	1970年開院、2003年新施設オープン
スタッフ	産婦人科医4人（常勤3人・非常勤1人）、麻酔科医1人、小児科医2人、助産師18人、産科看護師9人、管理栄養士1人、経理・医療事務6人、調理師3人、調理補助3人、クリーニングスタッフ5人、エステティシャン3人 [2020年6月時点]
設備	4D超音波画像診断装置、新生児無呼吸アラーム、NST（ノンストレステスト）、自動生体情報セントラルモニター など
ベッド数	16床（個室12床）
連携病院	広島大学病院、県立広島病院、広島市民病院、広島赤十字・原爆病院、土谷総合病院 など
実績	分娩数／781例、経腟分娩数／704例（うち無痛分娩数77例）、帝王切開／127例 [以上、2018年1月〜12月]
各種教室	母親学級、育児栄養相談、個別栄養相談、離乳食教室、母乳外来、アフタービクス、産前・産後ヨガ、ベビーマッサージ、産後院、お母さんのためのからだケア講座

PROFILE

中川 仁志 院長
（なかがわ・ひとし）

経　歴	1965 年広島市生まれ。1992 年久留米大学医学部卒。広島大学医学部産科婦人科学教室入局。呉医療センター、広島大学医学部附属病院、県立広島病院などを経て、1999 年中川産科婦人科副院長。2003 年より現職。広島県産婦人科医会理事、広島市産婦人科医会常任理事。
資　格	日本産科婦人科学会認定産婦人科専門医、母体保護法指定医
趣　味	スキューバダイビング、ゴルフ

院長の横顔

　熊本で代々医者を務めた家系であり、中川院長はその8代目。祖父の代に熊本から広島へ移住し、産婦人科を開業。祖父から父、さらに院長と弟の中川洋副院長の兄弟へと継承してきた。地域で築かれた信頼の絆を大切に、診療を続けている。

　エントランスには、同院が大切にしている思いを伝える詩が掲げられている。その詩には、ご家族から赤ちゃんへの「産まれてきてくれてありがとう」、そして成長した赤ちゃんからの「産んでくれてありがとう」の気持ちが込められている。生まれてきた赤ちゃんの幸せな成長を願うスタッフ全員の思いだ。

院長からのメッセージ

　当院は、出産を診療の柱としているため、お母さんと赤ちゃんの「いのち」を守り、次の世代につなぐことが私たちの大きな役割と考えています。

　妊婦さんの出産への「思い」とご家族から託された「願い」を忘れることなく、皆様に寄り添った医療を行ってまいります。

　また、これからはじまる楽しくも大変な「子育て」を始める場所でもあるため、幸せなお産になるようサポートすることに加えて、出産後も母乳育児をはじめとするさまざまな子育てをスムーズに始めていけるよう支援することも大切なことだと考えています。

　些細なことでも気軽に相談できる施設をめざしてスタッフ一同頑張っていきます。

広島市中区

患者様最優先で、クオリティーの高い診療を

正岡病院

正岡 亨 院長

主な診療内容

○産科／妊婦健診、産前・産後のメンタルケア、産科手術
○婦人科／子宮がん検診、子宮筋腫・卵巣検診、月経のトラブル など
○小児科／1歳までの定期健診、育児相談 など

病院の強み

○時間をかけて丁寧に診断・治療

○最新の超音波診断装置を駆使。胎児ドックにも対応

○研修を受けた職員による各種妊産婦教室の実施

診療時間	月	火	水	木	金	土	日
8：30〜12：30	○	○	○	休診	○	○	休診
14：00〜17：00	○	18:00まで	○	休診	○	○	休診

＊祝日は休診　＊急患・分娩などについては随時対応。電話でのお問い合わせは24時間可能

住 所 広島市中区猫屋町 4-6

TEL 082-291-3366

HP https://www.masaoka-hp.com/

駐車場 あり（19台）

ソフロロジー式分娩法をいち早く導入し、お産で有名な病院だが、婦人科領域の腫瘍やがん検診などにもクオリティー高く対応している。

病院の外観も内部のインテリアもワンランク上の優雅な雰囲気で、医療機器は最新機種を備えている。それらはすべて「患者様のために」という理事長や院長の信念を反映したもの。誰でも受け入れてくれて、気軽に受診できる産婦人科病院だ。

病院の概要

診療科目と領域

診療の約9割が分娩であり、「丁寧に診てもらえて安心」と妊産婦からの声も多い。20年前からソフロロジー式分娩法を取り入れ、ソフロロジー教室をはじめ、マタニティ教室、リラクゼーション（ヨガ）、栄養教室、離乳食教室などの各種教室も充実している。診断・検査機器は胎児の立体超音波画像装置（4D超音波装置）など最新機種を導入し、早期の正確な診断を心がける。胎児全体の異常をチェックする胎児ドックや出生前診断にも対応。婦人科領域の腫瘍やがん検診なども的確に行い、女性特有の各種疾患の治療に積極的に取り組んでいる。

診療ポリシー

産科ガイドライン、婦人科ガイドラインに基づいた医療をきっちり行い、時代にそぐわない医療はしないように心がけている。診療のレベルを決めるのは「医療機器と腕と時間」。そのため、機器は最新機種をそろえ、医師も常に技術レベルの向上に努めている。

「病状説明や栄養指導にも時間をかけ、『患者様の方を向いて』精度の高い診療を行うようにしています。ハイリスクが予想される患者様の相談にものり、できる限り出産いただけるよう全力を尽くしています」と、院長。職員に関しても、医療人として社会人として、高い質を保つよう教育に力を入れている。

上質で落ち着いた空間。待合ロビー

診療の特色・内容

ソフロロジー式分娩法を導入

ソフロロジーとは、母親が出産を自ら肯定的に受け入れ、陣痛を出産の過程で最も必要なエネルギーとしてとらえ、出産は赤ちゃんと母親が行う最初の共同作業と受け止める考え方。この分娩法を広島で先駆け的に取り入れて20年。同院では、初産婦のほとんどにソフロロジー教室を受講してもらっている。

実際の分娩はとても静かな雰囲気の中で進行し、その中で感動的な母児の対面ができる。それがソフロロジー式分娩法の特徴だという。

超音波検査は丁寧に、念入りに

同院では、立体超音波画像装置（4D超音波装置）を早くから導入しており、お腹の中の赤ちゃんの状態をリアルタイムで見ることができる。診察や超音波検査も時間を長めにとって、しっかり診るのも特徴。

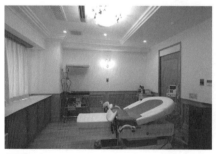

分娩室

妊婦健診では、毎回、全員に超音波検査と内診をして、赤ちゃんの心臓に異常がないかは、とりわけ丁寧に念入りに診るようにしている。

同院は胎児心エコー法の届出医療機関（厚生労働省の施設基準に適合）。胎児全体の異常のチェックができて、染色体異常や心臓の奇形などの早期発見ができる胎児ドック（予約制）も実施可能だ。

また、出生前診断も行っている。その目的は、①普通にお産をしてよいか、②帝王切開をするか、③この子は生まれてくることができるかどうか、④染色体異常がないかを調べること。出生前診断としては、超音波検査、羊水検査、クアトロ検査（ダウン症候群、18トリソミー、開放性神経管奇形である確率を算出する母体血清マーカー検査）までは行えるが、倫理問題にもかかわるため、患者のニーズがあっても必ずしも全ての検査を行うわけではない。

超音波検査に関しては、産婦人科領域で県内でも数少ない日本超音波医学会認定超音波専門医の資格を持つ正岡博理事長を中心に、常に診療のクオリティーを高く維持するよう努めている。超音波診断装置は10台常備し、常に最新のものに更新している。

日々目覚ましく機械の精度が上がっていく医療界では、「医師の腕が良いだけでな

く、良い機器をそろえる努力も必要です」と、院長は語る。

婦人科疾患にも的確に対応

婦人科疾患では、良性腫瘍の腹腔鏡手術や子宮脱の手術、上皮内がんの切除手術などは院内で行う。

理事長とともに手術を行う吉田信隆医師は、2013年4月まで広島市民病院産婦人科主任部長として、がん、子宮筋腫、卵巣嚢腫などあらゆる婦人科疾患の診断・治療から、妊娠・出産などの周産期管理まで幅広く手がけてきたベテラン医師だ。腫瘍専門医のキャリアと広島市民病院での経験を生かして診療を行っている。

しかし、吉田医師が心がけているのは、「抱え込まないこと」。経験上、万一のケースが想定される場合は、総合病院へ紹介する。「患者様最優先で、リスクなどを想定して対応しています」と、吉田医師。総合病院へバトンタッチする際も、とことん丁寧に診療する。的確な診断をつけることで、

手術室

受け入れ先の総合病院の医師との人間関係も築けている。

こういった的確な判断ができるのも、臨床現場の最前線で数多くの症例を診てきた経験が大きい。同院ではこうした専門性の高い医師が、患者一人ひとりに合わせて柔軟に対応している。

「病院」として、高い質を維持

同院は、広島市で数少ない産婦人科の「病院」だ。衛生管理、栄養管理、消防等建設設備の点検など、病院には定められている基準が多い。そういった基準を厳格に守り、感染症、医療安全などの職員向けの勉強会や研修会も、毎月実施している。

院長は、「新しいことには常に敏感でいて、良いものはどんどん導入していきたい。変えるべきところは変えていかなければ」と考えている。新しい制度を導入したり、システムを変えたりするときは、職員にもきちんと理解してもらうため、勉強会を開き情報の共有に努める。

さらに、「挨拶でも、清掃でも、職員全員がクオリティーを高く保とう」心がけてもらっている。

「私自身、もし自分の家族だったらと考えて、患者様に接しています。迷っている患者様の力になれる、信頼されるかかりつけ医になりたいと思っています」

DATA

診療科目	診療・検査内容
産科	妊婦健診（4D超音波検査）、産前・産後ケア、ソフロロジー式分娩法、立会い分娩、産科手術（帝王切開、子宮頸管縫縮術、流産手術）、出生前診断
婦人科	子宮頸がん検診、子宮体がん検診、子宮筋腫・卵巣検診、子宮内膜症、月経のトラブル（月経不順、月経過多、月経痛、不正出血など）、思春期外来、不妊相談、避妊相談、緊急避妊薬（モーニングアフターピル）、更年期障害、性病チェック、婦人科小手術・腹腔鏡手術（初期頸部がん、子宮脱、良性卵巣嚢腫）
小児科	定期健診（満1歳まで）、育児相談、母乳相談、栄養相談

沿革	1933年開院
スタッフ	産婦人科医4人、非常勤医師2人、看護師・助産師30人、管理栄養士3人、栄養士1人［2020年6月時点］
設備	4D超音波装置、リアルタイム立体血管評価ツール、高画質胎児行動観察ツール、胎児心臓専用評価ツール、骨密度測定装置、コルポスコープ
ベッド数	34床（個室26床）
連携病院	広島市民病院、県立広島病院など、各基幹病院

実績	分娩数／833例、経腟分娩数／714例、帝王切開数／119例［2019年1月〜12月］
各種教室	マタニティ教室、ソフロロジー教室、リラクゼーション教室、妊婦栄養教室、パパママスクール、マタニティのためのアロマ教室、離乳食教室、大脳開発教室、ベビーマッサージ など

PROFILE

正岡 亨 院長
（まさおか・とおる）

経　歴	1984年東京慈恵医科大学医学部卒。アメリカ・コロンビアメディカルセンター産科麻酔科、広島総合病院、中国労災病院産婦人科副部長、JR広島鉄道病院（現JR広島病院）などを経て、1995年正岡病院着任。2010年8月より現職。広島市医師会監事、広島市中区医師会会長。
資　格	日本産科婦人科学会認定産婦人科専門医
趣　味	音楽鑑賞、ドライブ、パソコン、乗馬、アコースティックギター
モットー	病気を診ずして病人を診よ

院長の横顔

1933年に現院長の祖父に当たる正岡旭初代院長が正岡産婦人科医院を開設したのが始まり。今から80年以上前のことだ。当時はおそらく自宅分娩が当たり前の時代だろうから、広島という地方都市で、同院は相当先進的な医療施設だったことは想像に難くない。

そんな家庭環境で育った正岡博理事長と正岡亨院長の兄弟が産婦人科の医師を志したのは、ごく自然な流れだった。現在、正岡亨院長は3代目として、兄・正岡博理事長とともに病院を運営している。

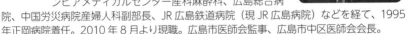

院長からのメッセージ

妊婦さんはお産が終わると、待ったなしで忙しい育児が始まります。それが分かっているからこそ、ここで過ごす1週間だけでも、家庭にいるときとはまた違った、日常ではない世界を味わっていただきたいと思っています。

患者さんの心理的な負担を少しでも減らせるよう、スタッフ全員で気を配っています。

吉田 信隆 医師
（よしだ・のぶたか）

経歴・資格	1972年岡山大学医学部卒。米国バッファロー医学研究所、岡山大学医学部産科婦人科学教室医局長、広島市民病院産婦人科主任部長などを経て、2013年4月より正岡病院非常勤医師。日本産科婦人科学会認定産婦人科専門医、日本婦人科腫瘍学会認定婦人科腫瘍専門医、母体保護法指定医など。

広島市安佐南区

経験豊富な男女2人の医師が、がんをはじめ婦人科疾患に幅広く対応

すみれ産婦人科クリニック

谷本 博利 院長

主な診療内容

○産婦人科一般診療
○日帰り小手術
○婦人科検診
○妊婦健診

クリニックの強み

○婦人科腫瘍専門医による、信頼性の高い子宮がん検診・精密検査

○男性医師と女性医師の2人体制で、産婦人科一般診療に幅広く対応

○豊富な経験と知識を生かし、日帰り手術にも積極的に対応

診療時間	月	火	水	木	金	土	日
9:00～12:30	○	○	○	○	○	13:00まで	休診
14:30～18:00	○	○	休診	○	○	休診	休診

＊祝日は休診　＊予約診療が優先　＊学会出張等、臨時休診あり。HPをご確認ください

住　所　広島市安佐南区緑井 5-29-18
　　　　　緑井ゆめビル 3F

TEL　082-831-0160・050-5306-1657

HP　https://www.sumire-wcl.com

駐車場　あり（ビル敷地内に30台分）

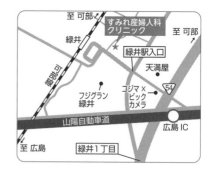

● 医師2人（男性・女性）の診療体制のもと、谷本院長が得意とする婦人科がんやがん関連疾患だけでなく、産婦人科一般診療を幅広く手がける。総合病院に行くほどの疾患ではないものの、技術や経験が必要な

日帰り手術にも積極的に対応しており、女性医師がいるため男性医師に相談しづらい内容にも対応できる。山陽道・広島ICから近く、緑井駅（JR可部線）徒歩1分のアクセスで通院のしやすさもポイントが高い。

クリニックの概要

診療科目と領域

院長は長期間にわたり安佐市民病院産婦人科部長を務め、子宮がん・卵巣がん、子宮頸部異形成などに精通し、がんの手術を含む手術全般を得意としている。開院後は産婦人科一般を診療し、生理不順、生理痛、婦人科がん治療後のフォローアップ、子宮頸部異形成の管理までさまざまな患者が訪れる。

その中でも比較的多いのが、更年期障害（月経異常、機能性出血、ホルモン失調など）、子宮がん検診や一次検診で異常を指摘された人、妊娠初期の人などで、他施設から紹介されてくる日帰り手術希望の患者にも、積極的に対応している。

安佐南区、安佐北区居住の患者が主だが、市内全域や県北などからの受診も多く、

10歳代〜50歳代を中心に80歳代の高齢者まで年代も幅広い。

診療ポリシー

産婦人科は「敷居が高い」「行きにくい」という意識を持つ患者が多い。そのため、院長は患者の話をよく聞いて、困っていることを理解し、できる限り寄り添うように心がけている。しっかりと話を聞き、表面上の症状だけでなく背景や患者の気持ちを理解することで、より適切に疾患に対処できると考える。

スタッフの人間力も大きな強みで、優しい心や気持ちにあふれた看護師や事務スタッフたちが、一丸となって患者をサポートするよう努めている。

受付

待合室

診療の特色・内容

日帰り外来手術に積極的に対応

　2人の医師による幅広い領域の産婦人科一般診療が特徴。院長は開院前、安佐市民病院産婦人科部長を長く務めてきた。当時はがんが専門で、がんの手術を含む手術全般を得意としていたこともあり、クリニックに入院設備はないものの日帰り手術に関して他クリニックから紹介を受けることも多く、積極的に対応している。

　例えばバルトリン腺嚢胞（外陰部の感染性疾患の一種）は、総合病院に行くほどの重い疾患ではなく、入院の必要もないため、外来で行う小手術になる。とはいえ外科的手術であり、麻酔を使って短時間で処置できる技術がなければ、一般的なクリニックではハードルが高く敬遠されることも多い。また流産に関わる手術も同様で、同院では症例によって低侵襲の手動吸引法（MVAシステム）も行っている。

　このように、入院の必要がない小手術症

診察室

例にほとんど対応できるのが同院の大きな特徴。紹介は近隣のクリニックからだけでなく、安佐市民病院から逆紹介を受けることもある。「入院が必要な重症例は基幹病院へ紹介し、日帰りで対応可能な小手術症例は当院で行っています」と話す院長は、地域医療の役割り分担に貢献できているとの自負を持っている。

腫瘍専門医がクリニックで診療するメリット

　院長は腫瘍専門医のため、腫瘍に関連する診療には特に力を入れている。同院では、広島市の子宮頸がん検診に対応し、検診で異常が発見されて精密検査と判定された人の2次検診も行っている。さらに、細胞診や組織診などを行いながら、次のステップまで見据えて、子宮頸部異形成の管理も手がける。

　がん検診では、がんがいきなり発見されることは稀で、最も多いのは子宮頸部異形成（前がん状態）が見つかるケースである。院長は、「正常に近い前がん状態か」「がんに近いのか」「ヒトパピローマウイルス（HPV）感染が起きているか」などの検査について、腫瘍を専門としてきた医師がクリニックで対応できることに大きな意味があると考える。

　同院では、子宮頸部異形成などに対し「従来の円錐切除術と比べて、子宮頸部や子宮頸管へのダメージが少ない」「将来の妊娠

谷本院長とスタッフ

への影響が少ない」などのメリットがある
レーザー治療を行っている。円錐切除術が
必要な場合には、一泊程度の入院が必要に
なるため基幹病院へ迅速に紹介しており、
こうした判断を的確にできるのも腫瘍専門
医としての豊富な経験・知識を持っている
からである。

患者の話をよく聞き、治療を計画

　同院では、婦人科がん治療後のフォロー
アップ、婦人科診療一般（子宮筋腫、子宮
内膜症など）、生理不順・生理痛、更年期
障害、不妊などの産科・婦人科に関する相
談などにも幅広く対応しており、男性医師
に聞きにくいことなどについては女性医師
に気軽に相談が可能。

　患者の話をしっかり聞き、手術の必要性
など治療計画について、患者と十分に相談
しながら決めることが重要と考えている。

4Dエコー画像で赤ちゃんの動きから仕草まで

　妊婦健診では、胎児画像を見るのを毎回
楽しみにしている妊婦が多い。同院では
4Dエコー（超音波検査装置）を導入し、
できるだけ多くの3D・4Dの胎児画像から、
リアルタイムで赤ちゃんの動き、表情、仕
草まで観察できるようにしている。妊婦健
診は原則30週までとし、それ以降の場合
は分娩施設を備えた医療機関へ紹介する。

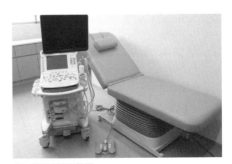

4D 超音波検査装置

パート1
乳腺診療

パート2
産科・婦人科

パート3
不妊診療

パート4
検診施設

患者のための細やかな心配り

「待ち時間をできるだけ不安なく、心穏やかな気持ちで過ごしてもらいたい」との思いから、日本画家の絵画をはじめ、多くの美術品を院内のいたるところに飾り、心安らぐ気持ちの良い空間を提供している。

受診の予約に関してはインターネット予約が基本だが、電話での予約ももちろん可能で、インターネットの操作が難しい高齢者など幅広い層の患者に、できるだけ柔軟に対応するよう努めている。また、予約が取れない場合でも、患者各々の事情を考慮して調整し、可能な限り便宜を図るように尽力している。

院内に飾られているアート展示

DATA

診療科目	診療・検査内容
産婦人科 （一般診療・ 日帰り小手術）	生理不順、生理痛、更年期障害、不妊、妊婦健診、婦人科検診 （子宮頸がん検診、子宮体がん検診）、子宮筋腫、子宮内膜症、 卵巣嚢腫、婦人科がん治療後のフォローアップ、子宮頸部異形成、 外陰疾患、婦人感染症、漢方治療、ピル処方、避妊、 ブライダルチェック、ホルモン検査、流産、人工妊娠中絶など
沿革	2017年開院
スタッフ	産婦人科医2人、助産師2人、看護師5人、事務5人［2020年6月時点］
設備	3D・4D超音波検査装置、コルポスコープ、CO_2レーザー治療装置 など
連携病院	安佐市民病院、広島市民病院、県立広島病院、土谷総合病院、 広島赤十字・原爆病院 など ※同クリニックビル内の他診療科（内科、脳神経外科、皮膚科など）と 　緊密に連携
実績	外来患者数／1772人（うち初診240人）［2020年3月］

PROFILE

谷本 博利 院長
（たにもと・ひろとし）

経　歴		1989年広島大学医学部卒。1993年同大学院卒。国立呉病院（現呉医療センター）、米国アーカンソー大学医学部産婦人科（客員助教授）、麻田総合病院、国立広島病院（現東広島医療センター）、安佐市民病院（産婦人科副部長、部長）を経て、2017年すみれ産婦人科クリニック開院。医学博士。
資　格		日本産科婦人科学会認定産婦人科専門医、日本臨床細胞学会認定細胞診専門医、日本婦人科腫瘍学会認定婦人科腫瘍専門医、母体保護法指定医
趣　味		絵画、ギター、水泳、格闘技、登山
モットー		健康に生きる

院長の横顔

　漠然と「人を笑顔にできる仕事をしたい」「人の役に立ちたい」という思いを持っていたが、次第に、病に苦しむ人と向き合える医師を志す。学生時代は美術部部長で、柔道部にも所属。

　外科系の診療科に進むつもりだったが、当時の柔道部部長だった産婦人科教授に同科を勧められ、「産婦人科医は女性を守る大事な仕事」と思い、入局を決めた。社会人になってから始めた水泳では、マスターズ大会での優勝経験がある。

院長からのメッセージ

　病気は一人ひとりで違いがあり、身体も患者さんで全員異なります。そのため、病気への対応や治療法にも複数の選択肢があります。最も適切な選択をして、納得できる医療を受けていただくために、疑問や不安がある方に寄り添っていけたらと思っています。

　どうしていいか分からない不安な気持ちを我慢しないで、「おかしいな」「しんどいな」と感じたら、まずは受診し、専門家である医師に相談してください。

広島市佐伯区

婦人科腫瘍専門医として女性のさまざまな悩みに応える

さくらウィメンズクリニック

大下 孝史 院長

主な診療内容

○一般産婦人科診療

○がんの診断・フォロー

○小手術

クリニックの強み

○婦人科腫瘍専門医としての豊富な経験から、あらゆる腫瘍症例に精通

○十分なインフォームドコンセントにより、患者の納得できる治療を選択

○JA広島総合病院をはじめ、基幹病院とのスムーズな連携

診療時間	月	火	水	木	金	土	日
9:00〜12:30	○	○	○	○	○	14:00まで	休診
14:30〜18:00	○	○	休診	○	○	休診	休診

＊祝日は休診

住 所	広島市佐伯区五日市駅前 1-5-18 グラシアビル 4F
TEL	082-943-5512
HP	https://www.sakurawc.com/
駐車場	あり（グラシアビル 1F に約 30 台、無料）

● 2016年に「女性の生涯を支える診療科」として五日市駅前に開院以来、一般産婦人科をはじめ、婦人科がんの診断やフォロー、小手術まで、幅広く丁寧に対応している。

特に、婦人科腫瘍（しゅよう）に関しては専門医とし て豊富な臨床経験を持ち、良性・悪性を問わず正確な診断と適切な治療方針を提案。地域の女性たちが「身近で気軽に相談できる存在」として悩みを受け止め、生涯の健康を守ることに最善を尽くしている。

クリニックの概要

診療科目と領域

婦人科、産婦人科一般を扱っており、疾患で多いのは不正出血や生理痛、細胞診異常、貧血、更年期障害、不妊症など。大下院長は婦人科腫瘍を専門に診療を手がけてきたため、婦人科がんの診断や、子宮頸部（けいぶ）前がん病変の管理を得意としている。また、婦人科良性腫瘍（子宮筋腫（きんしゅ）、卵巣腫瘍（らんそう）など）等の腹腔鏡（ふくくうきょう）手術は、JA広島総合病院の開放病床を利用して行っている。

JR山陽本線五日市駅前というアクセスの良さから、広島市佐伯区を中心に広島市西区、廿日市市、大竹市、岩国市などからも患者が来院。年代も幅広く、最も多いのは30歳代〜40歳代である。

診療ポリシー

「女性の生涯を支える診療科として、身近で気軽に相談できる存在であること」を大切に、患者一人ひとりと真摯に向き合っている。

これまで行ってきた婦人科診療の経験を生かし、ガイドラインに沿った標準治療を行いつつ、許容できる範囲では患者の希望を優先して治療を行う。治療法の選択については、患者に納得してもらうことが何よりも大切なため、丁寧な説明を心がけ、患者の訴えにしっかり耳を傾けるよう心がけている。

また、患者の不安を取り除き、院内で心地良い時間を過ごせるよう、高級感を演出した空間づくりをしている。

受付

診療の特色・内容

県内でも数少ない婦人科腫瘍専門医

院長は県内でも数少ない婦人科腫瘍専門医で、開業前は JA 広島総合病院産婦人科部長を務め、開腹手術だけでなく低侵襲の腹腔鏡手術も数多く経験してきた。開業した現在でも、JA 広島総合病院で同院の医師と一緒に良性腫瘍の腹腔鏡手術などを行っている（毎週水曜午後）。

「JA 広島総合病院と緊密な連携をとっており、緊急時の体制は万全です。また、自分で責任を持って患者さんの手術を行うことができるため、踏み込んだ治療内容を提供できます」

婦人科腫瘍に関してはがん検診も行っているが、他院などの検診を経て精密検査のために来院する人も多く、CIN（子宮頸部上皮内腫瘍、いわゆる前がん状態）の患者の管理・治療を主に行っている。この場合、まずはがんの有無から診断していく。前がん状態の場合、細胞を採取したり拡大鏡で検査した上で組織検査を行い、「手術が必要か」「様子を見ていくか」「どのタイミングで手術に踏み切るか」などの判断を行う。

早期発見で大切な命と子宮を守る

現在、20 歳代など若い人に非常に増えているのが子宮頸がん（特に前がん状態）で、極端な場合は 10 歳代で見られることもある。原因の大半はヒトパピローマウイルス（HPV）の接触感染。若い人はウイルスの保有率が高く、性経験が始まったら子宮頸がんのリスクが発生する。現在では、子宮頸がんの検診開始年齢が、以前の 30 歳から 20 歳まで引き下げられている。

子宮頸がんは、検診などで上皮内がんまでの状態で早期発見できれば、子宮温存が可能でワクチンも開発されている。

「もし、病気になったとしても、早期発見できれば子宮の温存ができます。大切な命と子宮を守るために、検診とワクチンは両輪です。きちんと予防して、子宮がんの撲滅をめざしたいです」

大下院長の診察の様子

「患者さんに笑顔で帰っていただけるように、頑張っています」

低侵襲なレーザー蒸散術に精通

　子宮頸部高度異形成と上皮内がん（CIN3）の治療は、基本的には円錐切除術（子宮頸部の入り口を円錐状に切除）になる。しかし、切除した部分がどうしても弱くなり、今後、妊娠を希望する場合に不妊症や流産、早産など何らかの影響が出るリスクがある。そのため、若い女性の場合は適応があれば、より低侵襲でダメージの少ないレーザー蒸散術を行う。

　その場合は、細胞診やコルポスコピー検査、組織検査で総合的に判断したCIN3という診断で、初めてレーザー蒸散術が適応になる。この治療は院長が得意としている分野で、同院でも積極的に行っている。

　子宮頸がんや子宮頸部異形成の検査では、「いかに異常を見つけられるか」「正しい評価ができるか」が重要。これまで、どれだけの数や種類の症例を診てきたか、知識・経験・感性がものをいう世界である。

女性のさまざまな悩みに応えたい

　同院では、不妊についてもタイミング指導、人工授精まで対応しており、結婚前の女性を中心とした「ブライダルチェック」などにも応じている。産科では入院施設がないため、出産前（8か月末まで）の妊婦健診まで対応。妊婦健診で異常が見つかり、入院管理が必要と判断された場合は近隣の

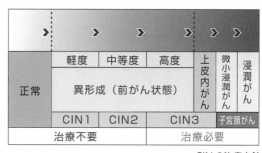

CIN の治療方針

パート1
乳腺診療

パート2
産科・婦人科

パート3
不妊診療

パート4
検診施設

高次施設に紹介する。

　総合病院に劣らない、できる限り質の高い診療を行っていきたい——。そのため、院長は学会や勉強会、研修会にできるだけ参加して研さんを積んでいる。

　「ここは総合病院と違い、患者さんの最初の窓口で、よろず相談所といった感じです」と院長。将来的には、女性医師の診察枠も導入し、できる限り、さまざまな患者の悩みに応え、地域医療に貢献していきたいと考えている。

　診察室では、患者の方に体を向け、目を見て話をし、電子カルテも患者に見えるように配置している。「患者さんに笑顔で帰っていただけるよう、スタッフとともに努力しています」

DATA

診療科目	診療・検査内容
産婦人科（一般診療・がんの診断・フォロー、小手術）	子宮がん検診、妊婦健診、帯下、月経不順、過多月経、不妊症、避妊相談、更年期障害、子宮筋腫、子宮内膜症、子宮頸部異形成、子宮頸がん、子宮体がん、卵巣がん、人工妊娠中絶手術、流産手術、上皮内がんに対するレーザー蒸散術、子宮頸管ポリープ切除など
沿革	2016 年開院
スタッフ	産婦人科医 1 人、看護師 5 人、受付 2 人［2020 年 6 月時点］
設備	電子カルテ、超音波画像診断装置 2 台（経腹超音波 4D プローベ付き、経腟超音波）、コルポスコピー、炭酸ガスレーザー
連携病院	JA 広島総合病院、広島市民病院、広島大学病院 など
実績〔施設別の実施数〕	同院：CIN（CIS 含む）レーザー蒸散／76 例、子宮内膜全面掻爬術／9 例、外陰腫瘤切除／9 例、胞状奇胎除去手術／4 例 JA 広島総合病院：子宮全摘／79 例（開腹 14 例、腹腔鏡 65 例）、筋腫核出術／17 例（開腹 2 例　腹腔鏡 15 例）、卵巣腫瘍／41 例（うち腹腔鏡 32 例）、CIN（CIS 含む）円錐切除／9 例 ［以上、2016 年 11 月〜 2020 年 2 月］

PROFILE

大下 孝史　院長
（おおした・たかふみ）

経　　歴	1969年広島市生まれ。1994年広島大学医学部卒。広島大学病院、四国がんセンター、安佐市民病院、三次中央病院などを経て、2014年よりJA広島総合病院産婦人科部長。2016年11月さくらウィメンズクリニック開院。広島県産婦人科医会常務理事。広島市臨床産婦人科医会幹事。佐伯区医師会理事。
資　　格	日本産科婦人科学会認定産婦人科専門医、日本婦人科腫瘍学会認定婦人科腫瘍専門医、日本臨床細胞学会認定細胞診専門医、母体保護法指定医
趣　　味	ゴルフ、カープ観戦、音楽鑑賞、車
モットー	為せば成る

院長の横顔

　中学生のとき、祖父が安佐市民病院に入院したことがあり、そこで働く医師の姿がかっこよく頼もしく、憧れるようになった。「医者をめざす」と話すと喜んでくれた両親の顔を見るのもうれしくて、修道高校から広島大学医学部へ進学。外科学を学ぼうと考えて産婦人科に入局した。

　卒業後はさまざまな総合病院に在籍したが、四国がんセンターで実践的な腕を磨けたことは運が良かったという。全国トップレベルの婦人科がん診療の最前線で技術を吸収した30歳代前半の3年半の経験は、大きな収穫で財産となった。

院長からのメッセージ

　つらい症状のすべてが解決できるわけではありませんが、少しでも改善できる道を一緒に相談して、探していきましょう。きっと何かが見つかるはずです。

　身体的な面だけでなく、精神面のサポートも重視しています。納得いくまでお話をして、最善の治療を選ぶことができるよう努力しますので、疑問や質問がある方は遠慮なくご相談ください。ご家族も一緒に話を聞けば安心できることもありますので、病状説明の際にはぜひご一緒ください。

チームワークで女性のトータルライフを支える

藤東クリニック

藤東 淳也 院長

主な診療内容

○産科（妊娠・分娩管理 など）

○婦人科疾患

○婦人科内視鏡手術、子宮頸がん日帰り手術

クリニックの強み

○産科・婦人科全般にわたって女性の活躍をサポート

○十分なインフォームドコンセントで、患者一人ひとりに合った治療を提供

○産婦人科医6人体制。経験豊かな医療スタッフと整った設備・環境

診療時間	月	火	水	木	金	土	日
9:00〜12:30	○	○	○	○	○	○	休診
15:00〜17:30	○	○	○	休診	○	17:00まで	休診

＊祝日は休診

住 所 安芸郡府中町茂陰1-1-1

TEL 082-284-2410

HP https://fujito.clinic

駐車場 あり（54台）

● 女性のトータルライフを任せられる診療をめざし、女性のライフサイクルを応援する地域に根ざしたクリニック。若い女性に増えている前がん病変では、がん検診を積極的に勧めて「早期発見・治療」をめざす。

30〜40歳代に多い婦人科良性腫瘍（しゅよう）では、精通する「内視鏡手術（ないしきょうしゅじゅつ）」を手がける。産科では「自然分娩（ぶんべん）」を基本方針に、経験豊かな助産師や看護師が初期から継続的に関わり、スタッフ一丸となって母子を支える。

クリニックの概要

診療科目と領域

産科は自然分娩を基本方針に、妊婦健診や出生前検査、不育症・習慣性流産の診療、産科手術、無痛分娩などを手がける。経験豊かなスタッフが抜群のチームワークで患者を支え、安心で快適なマタニティライフを提供する。

婦人科は生理の悩みから婦人科がんまで全般を診療し、子宮がん検診、不妊症・更年期・婦人科早期がん・性器脱（だつ）などの診療、内視鏡手術などに対応。藤東院長は婦人科腫瘍や低侵襲手術（ていしんしゅう）が専門で、婦人科早期がんの診断・治療、内視鏡手術に力を入れている。

診療ポリシー

婦人科疾患は20〜50歳代に多く見られ、女性のライフサイクルの中でも仕事や家庭など最も多忙な年代と重なる。院長は、「女性たちの活躍を妨げるトラブルを産婦人科医としてケアし、その活躍を応援したい」という気持ちを強く持っている。

さまざまな病気や患者がいる中で、治療法に1つだけの"正解"はない。同院では「一人ひとりを大切に」をテーマに、患者の希望や生活スタイルを考慮し、各々に合った治療の提供を心がけている。そのために大切にしているのが、「患者さんやご家族に病気について十分説明し、納得がいくまで話をする」こと。産婦人科医6人体制に加え、充実した設備・環境と経験豊富なスタッフを揃え、患者を全力でサポートしている。

開放的な待合スペース

入院用個室

パート1
乳腺診療

パート2
産科・婦人科

パート3
不妊診療

パート4
検診施設

診療の特色・内容

ライフサイクルに配慮した子宮がん手術

子宮頸がんは先進国では減少傾向にあるが、日本では増加傾向にあり、20～40歳代の若い世代での罹患が増加している。異形成・上皮内がんといった、がんの一歩手前の前がん病変は20歳代から見られ、子宮がん検診で発見される。

「子宮がんが乳がんなどと違うのは、がんになる手前で発見できる点です。前がん病変で分かるのとがんになってから分かるのでは、その人の人生が変わります。前がん病変はきちんとがん検診を受けていれば分かりますし、子宮を取らなくても治る可能性が高く、そんなに怖い病気ではありません」

前がん病変では基本的に円錐切除術を選択し、将来、妊娠を希望する人に対する選択肢として、高周波電気メスによる組織の蒸散もある。仕事を持つ女性のライフサイクルに支障をきたさないように配慮し、円錐切除術は日帰り手術（1日入院）、蒸散は外来手術となる。

がん以外の手術はほとんどすべて行っており、浸潤した子宮頸がんや子宮体がんは設備とスタッフが揃う拠点病院へ紹介する。

子宮筋腫は"目的"を明確にした治療が大切

子宮筋腫や卵巣腫瘍などの婦人科良性疾患も非常に多い。子宮筋腫は30～40歳代に多く、40歳代ではおよそ3人に1人という罹患率の高い病気である。

「子宮筋腫は良性の病気ですが、社会的に活躍している年代ですので、それによって活躍できなくなることは防いであげたいです」。妊娠を望んでいるのに筋腫があるために妊娠できない人もいれば、つらい痛みや貧血で悩む人もいる。「子宮筋腫の治療は、何のために治療するのか、目的をはっきりさせて治療することが大切です」

院長は、十分に話し合った上で一人ひとりに合った治療方針を決めるが、子宮を取る方向ではなく、できる限り筋腫のみを治すようにしている。その場合、多くは内視鏡（腹腔鏡）で治療し、入院期間は3～4日程度。子宮筋腫ががんになることはほとんどないため、症状がなければ治療の必要はないが、筋腫の大きさなどを確認するために定期的に検診を受けた方がいいという。

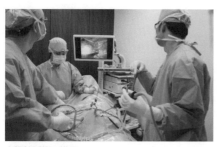

内視鏡手術の様子

抜群のチームワークでサポートします

子宮内膜症では、状況と環境に合わせた診療を

　現在、子宮内膜症も増えている。生理の回数と関係する病気で、現代女性は初経が早く・閉経が遅く、妊娠回数も少ないため生理の回数が必然的に多くなり、リスクが高くなる。10歳代で罹患する人はほとんどいないが、生理痛から始まることが多く、生理痛がひどい状態が毎回続くとリスクがある。しかし、ホルモン治療で生理痛をある程度改善すれば、子宮内膜症は予防が可能である。

　根治手術として子宮と卵巣を取れば完治するが、良性の病気で、30歳代の若い人に多いため、通常は根治手術は選択せず内視鏡で病巣だけを取る。また、不妊症やがんにつながる可能性もあるため定期的な検診が必要で、長い期間をかけて診ていき、妊娠など状況や環境が変われば、それらに合わせた治療法を考慮する。

自然分娩を基本に、チームで母子をサポート

　産科では、妊娠、分娩、出産など全般を手がける。院長は「妊婦にとっても赤ちゃんにとっても良いのは自然分娩」と考えており、これを同院の基本方針としてなるべく自然な形の出産を行っている。自然分娩は人手も手間もかかるが、助産師などスタッフのレベルが高く、考え方を全員が理解して抜群のチームワークで対応している。

　自然分娩という基本方針は持ちながら、患者一人ひとりの要望にできるだけ応えられるのも個人クリニックの強み。患者のバースプラン（どのようなお産をしたいか）に合わせて、出産日を調整する計画分娩や、痛みを軽減する無痛分娩にも対応している。ハイリスク症例の分娩管理や新生児の重篤な症例については、NICUを持つ県立広島病院や広島市民病院と連携し、緊急時には迅速に搬送する。

助産外来

助産外来を設けているのも特徴で、15人の助産師や看護師が妊娠初期から継続的に関わる。マタニティライフを不安なく過ごせるよう、医師や助産師、看護師などがチームで母子をサポートしていく。

DATA

診療科目	診療・検査内容
産科	妊婦健診、出生前検査、不育症、習慣性流産、産科手術、無痛分娩など
婦人科	婦人科一般診療、子宮がん検診、不妊症、更年期、性器脱、婦人科早期がん、内視鏡手術など
沿革	1928年「藤東医院」開院。1975年「藤東産婦人科医院」開院。2010年「産科・婦人科藤東クリニック」新築開院
スタッフ	産婦人科医6人（常勤4人・非常勤2人）、麻酔科医1人（非常勤）、小児科医4人（非常勤）、助産師19人（常勤13人・非常勤6人）、看護師14人（常勤11人・非常勤3人）[2020年6月時点]
ベッド数	19床（個室11床）
設備	超音波画像診断装置7台（4D超音波2台）、子宮鏡、コルポスコープ、内視鏡手術機器
連携病院	県立広島病院、広島市民病院
実績	産科／分娩数839例、自然分娩率65.6％、帝王切開率10.0％、平均入院日数4.9日 婦人科／子宮筋腫手術71例 [以上、2019年1月～12月]
特記事項	低侵襲の内視鏡手術に力を入れている

PROFILE

藤東 淳也 院長
（ふじとう・あつや）

経　歴	1968 年広島県生まれ。1993 年東京医科大学卒。東京医科大学病院、同大学八王子医療センターなどを経て、2002 年米国カンザス大学留学。2004 年東京医科大学病院、県立広島病院（婦人科部長）。2010 年産科・婦人科藤東クリニック開院。2015 年医療法人双藤会理事長。医学博士。
資　格	日本産科婦人科学会認定産婦人科専門医、日本臨床細胞学会認定細胞診専門医、日本婦人科腫瘍学会認定婦人科腫瘍専門医、母体保護法指定医

院長の横顔

　1928 年に広島県向原町で祖父が始めた藤東婦人科から始まり、2 代目の父が安芸郡府中町に開業。淳也院長と猶也副院長（弟）は病院の中に暮らし、産婦人科医として忙しく働く父の姿を見て育った。

　仕事と休みの区別もつかず、呼び出されれば夜中でも嵐の中でも駆けつけ、父は嫌な顔一つ見せなかった。そんな父親の姿を見ているうちに、兄弟は自然に産婦人科医をめざしていた。「確かに忙しい仕事ですが、忙しさや大変さを上回るやりがいや喜びがある仕事です」と笑顔を見せる。

院長からのメッセージ

　「女性の悩みに少しでも応え、女性が人生を通して末長く健康に過ごしてほしい。女性のトータルライフをお任せいただけるような診療を常に意識し、地域に貢献できるクリニックをめざしたい」。それが、我々の願いです。

　悩んでいることや思っていることを何でもご相談いただき、あなたにとって最も合った治療法を一緒に考えていきましょう。これからも、スタッフ一丸となって女性が活躍できるように応援していきたいと思っています。

福山市旭町

福山地区のお産の拠点の一つ。婦人科腹腔鏡下手術を積極的に導入

白河産婦人科

安藤 尚子 理事長

主な診療内容

○妊婦健診、出産管理、産科手術

○子宮内膜症、子宮筋腫、卵巣腫瘍、子宮体がん、
　子宮頸がん、月経痛、更年期障害

医院の強み

○常勤の女性医師による診療で、相談しやすい環境

○お産の緊急時には 24 時間体制で迅速に対応

○婦人科疾患の腹腔鏡下手術では、安藤正明医師（倉敷成人病センター）が中心に執刀

診療時間	月	火	水	木	金	土	日
9：00〜12：30	○	○	○	○	○	○	休診
15：30〜17：45	○	○	○	休診	○	○	休診

＊祝日は休診

住 所 福山市旭町 8-3

TEL 084-922-2235

HP https://shirakawa-clinic.jp/

駐車場 あり（40 台）※他に契約駐車場あり

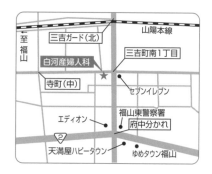

● 安藤理事長をはじめ、女性医師・スタッフがきめ細やかな妊娠管理を行い、できる限り"安全""安心""満足"な分娩をめざしている。妊娠から出産後のケアまで、安心して診療が受けられる環境づくりに重点を置く。

婦人科の手術では、95％以上を腹腔鏡下で行う。術後は痛みが軽度で入院期間が短いため、開腹手術に比べて圧倒的に社会復帰が早い。倉敷成人病センターとの緊密な連携も、大きな強みだ。

医院の概要

診療科目と領域

　福山地区における産婦人科の拠点施設の一つ。安心して臨める分娩を基本とし、緊急の帝王切開が必要な場合にも迅速に対応できる万全の態勢が整っている。

　子宮筋腫、子宮内膜症、卵巣腫瘍など婦人科疾患の難治性の症例では、低侵襲な腹腔鏡下手術を導入。倉敷成人病センター（婦人科手術件数が圧倒的多数）で理事長を務める、安藤正明医師が中心となり執刀している。

　更年期障害などの疾患では、ホルモン療法や漢方薬の組み合わせを中心に、患者一人ひとりに応じた治療を選択している。

診療ポリシー

　患者様が納得し、安心して出産や治療に臨めるよう、「患者様のためになることはきちんと伝える」体制を整えている。院内は高級ホテルを思わせる落ち着いた雰囲気。看護師だけでなく麻酔専門医もすべて女性スタッフで、不安に陥りやすい患者に常にあたたかく寄り添うよう努めている。

　婦人科手術では、開腹手術を避けて低侵襲な腹腔鏡下手術を行うが、婦人科悪性腫瘍（がん）が判明した場合には、緊密な連携を持つ倉敷成人病センター（がん手術の低侵襲な腹腔鏡下手術に精通）に迅速に紹介する。

受付

待合ロビー

パート1
乳腺診療

パート2
産科・婦人科

パート3
不妊診療

パート4
検診施設

診療の特色・内容

女性医師に気兼ねなく相談できる環境

安藤理事長・奥村副院長・北浦副院長の3人の女性医師で、周産期をはじめ子宮・卵巣の腫瘍、生理痛、更年期障害などの診療を行っている。女性ならではの心配りと、分かりやすい説明で気兼ねなく相談できる。

また同院は、婦人科疾患などの病気の予防や早期発見につなげるための検診を行うなど、女性の健康的な体づくりのサポートに努めている。3人の医師いずれも日本産科婦人科学会認定の産婦人科専門医であり、心強い。

安心して出産を迎えるために

原則として、検査では毎回4D超音波を取り入れ、出生前の胎児異常の早期発見に努めている。また、妊娠前期から母親学級

オープンサロン

を開催しており、食生活やトラブル対処法などを伝え、安心して出産を迎えるためのサポートを行っている。

お産では、上手な呼吸法やイメージ法で、赤ちゃんが「自然に生まれてくる力」を促すスムーズな出産をめざしている。安心して自然分娩ができるよう導く一方で、緊急の帝王切開手術が必要な場合などは、24時間体制で迅速に対応。医師・看護師・スタッフの連携で、母子の安全を第一に考える万全の態勢だ。

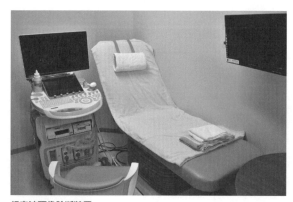

超音波画像診断装置

婦人科腹腔鏡下手術を積極的に導入

子宮筋腫、子宮内膜症などは薬物療法を行うが、難治性の症例では手術対応となる。同院では、積極的に婦人科腹腔鏡下手術を行っており、できるだけ開腹手術を避けることで、痛みが少なく術後回復を早めることができる上、傷

入院用個室

口が小さいため美容面でもメリットがある。

入院期間も、通常の開腹手術の 1/2 〜 1/3 程度で早期の社会復帰が可能であり、仕事を持つ女性が多い現代では、女性の社会での活躍へのサポートにもつながる。

同院で主に腹腔鏡下手術を執刀している倉敷成人病センター理事長の安藤正明医師は、世界的にも婦人科腹腔鏡下手術に精通し、国内で圧倒的な手術経験を持つ。

進行悪性腫瘍（子宮がん、卵巣がん）判明時は、緊密な連携を持つ倉敷成人病センターへ迅速に紹介。同センターでは、良性・悪性腫瘍ロボット手術施行基準を満たしているため、手術時にはロボットが導入されている。

女性のライフスタイルの変化と「子宮内膜症」

現代では女性の社会進出により、妊娠も高齢化の傾向にある。20 〜 30 歳代で出産をしない女性に発症しやすいとされるのが、「子宮内膜症」。

子宮内膜は受精卵が着床する組織で、本来は子宮の内側にあり、毎月、月経時に剥がれて出血とともに排出されるが、何らかの原因で、その子宮内膜が子宮の内膜以外の場所に発生する疾患である。

つまり、子宮内以外で月経が起こると、子宮と他臓器（周辺臓器）が癒着した状態になり、月経痛や排便痛がひどくなる。また、月経量が大量になり、高度の貧血になることもあり、たとえ良性の病気であったとしても、輸血が必要になって、命にかかわることもある。薬物療法で十分な効果が得られない場合は、低侵襲な腹腔鏡手術を積極的に行っている。

子宮内膜症は、卵巣に影響が及ぶケースも少なくない。この場合、生理の血液が卵巣に溜まり、チョコレート色の塊ができることがある。これを「チョコレート嚢腫」といい、年齢を重ねるとともに肥大化する傾向がある。放っておくと、一部は卵巣がんなどのリスクが高まり、その予防的手術も腹腔鏡手術となる。

談話スペース

**患者の生活と将来像を見据えた
「子宮筋腫」治療**

　「子宮筋腫」は、女性ホルモンの働きにより子宮にコブができる病気で、月経量が増加し、大出血に転じることも多い。

　妊娠を望む患者には筋腫核出術（子宮を温存し、腫瘍部分のみを取り除く）を行っているが、この手術も同院では腹腔鏡で行うため、傷が目立たず若い女性に喜ばれている。

DATA

診療科目	診療・検査内容
産科	妊婦健診、4D超音波検査、出産管理、産科手術など
婦人科	子宮内膜症、子宮筋腫、子宮腺筋症、卵巣腫瘍、卵管腫瘍、卵巣がん、子宮体がん、子宮頸がん、月経痛、月経過多、更年期障害など
沿革	1962年白河義久医師（先代）により開院
スタッフ	産婦人科医3人、非常勤医師11人（産婦人科医10人、小児科医1人、麻酔科医1人） 助産師6人、看護師24人（うち非常勤9人）[2020年6月時点]
設備	超音波画像診断装置10台、腹腔鏡下手術機器一式（4K技術搭載手術用内視鏡システム）
ベッド数	19床（個室9床）
連携病院	婦人科疾患／倉敷成人病センター、福山医療センター、福山市民病院 など 不妊診療／倉敷成人病センター、よしだレディースクリニック内科・小児科、幸の鳥レディースクリニック など
実績	産科／分娩数750例（うち帝王切開146例）、平均入院日数5日 婦人科手術／0期子宮がん20例、子宮摘出205例（腹腔鏡95％）、卵巣手術100例（腹腔鏡98％）、子宮筋腫核出手術32例（腹腔鏡100％）、子宮外妊娠4例（腹腔鏡100％） [以上、2019年1月〜12月]
各種教室	母親学級：前期（14週〜27週）／産科医、助産師、栄養士 後期（30週以降）／前期スタッフに、小児科医も加わる
特記事項	安藤正明理事長（倉敷成人病センター）が腹腔鏡下手術を執刀（毎週土曜）

PROFILE

安藤 尚子　理事長
（あんどう・なおこ）

経　歴	広島県福山市出身。1978 年北里大学医学部卒。岡山大学入局後、岡山済生会病院、岡山労災病院、岡山赤十字病院、福山医療センターなどを経て、1990 年白河産婦人科着任。2012 年より現職。
資　格	日本産科婦人科学会認定産婦人科専門医
趣　味	ジャズピアノ
モットー	患者にとって大事なことはきちんと伝える

理事長の横顔

　理事長の要点を押さえた的確な指示は、スタッフにとっても理解しやすい。スタッフとは仕事を離れての会食も大切にしており、コミュニケーションをしっかり取ってお互いの信頼関係を築いている。

　休日には趣味のジャズピアノ演奏を楽しんでおり、夫である安藤正明医師の奏でるジャズギターとともに、海外の学会で演奏した経験もあるほどの腕前を持つ。

理事長からのメッセージ

　近年は女性の社会進出や女性がキャリアを大切にし、社会に貢献できる時代です。働き方の多様性からくる高齢妊娠の流れは正直あります。

　女性は、20 歳代〜 30 歳代〜 40 歳代になるにつれ、さまざまな体の変化が起こる上、妊娠した場合には、胎児の些細な変化にも日々対応していかなければなりません。

　一人で悩まず、まずは遠慮なくお話をしてください。患者さんにとって大切だと思ったことは、きちんとお伝えします。

●胚

卵子と精子が結合して生み出された受精卵が、細胞分裂してできる発生初期の細胞の塊のこと。

●胚培養

受精後の胚を培養液の中で人工的に発育させること。通常、ヒトでは受精して5～7日までに発育させることが可能。

●排卵

卵胞が破れ、成熟した卵子が卵巣から出ること。排卵された卵子は卵管に入り、ここで精子と出会い受精が起こる。

●タイミング法

排卵日を予測し、妊娠しやすいタイミングを医師がアドバイスして妊娠に導く方法。排卵日の5～7日前から妊娠が可能で、この間は性交の回数は多い方が望ましい。自然周期で排卵日の予測をする場合と、排卵を促すため排卵誘発剤を使用して排卵日の予測をする場合とがある。

●生殖補助医療

不妊症の夫婦で通常の性行為で妊娠できない場合、人工的に精子と卵子を授精させて妊娠に導く医療技術の総称。「人工授精（体外受精・胚移植）」「顕微授精」「凍結融解胚移植」などがある。

●ホルモン検査

採血を行って血液中のホルモンの量を調べる検査。不妊症、不育症には多くのホルモンが関係しており、ホルモン値に問題があると、無月経、無排卵、乳汁漏出（母乳が刺激なく漏れる）、多毛などの原因になる。

●子宮卵管造影検査

子宮内や卵管に造影剤を直接注入し、レントゲンでそれら臓器の形や機能の病気の有無を調べる検査。「卵管が通っているか」「卵管が周囲と癒着していないか」「子宮の中に筋腫やポリープがないか」などを調べる。

●卵管鏡下卵管形成術

カテーテルを腟から子宮や卵管入口まで挿入し、カテーテルに内蔵されたバルーンを卵管内へ押し進めることにより、詰まった卵管の通過性を回復させる治療法。子宮卵管造影検査で、子宮から出てすぐの卵管が狭くなっていたり、閉塞していると診断された場合が対象。メスによる切開などもなく、体への負担が少ない。腹腔鏡を併用する場合と、併用しない場合がある。

パート3
不妊診療

▲ 解説　不妊診療

不妊治療の現状と最新の動向
──治療のゴールは「妊娠・出産が次世代へつながる」こと

県立広島病院 生殖医療科　主任部長

原　鐵晃（はら・てつあき）

[経歴] 1954年生まれ。1980年広島大学医学部卒。1988年米国コロンビア大学留学。1999年広島大学病院周産母子センター准教授、2007年県立広島病院生殖医療科主任部長。不妊症について広く知ってもらうため、要請があれば講演も積極的に引き受けている。
[資格] 日本産科婦人科学会認定産婦人科専門医。日本生殖医学会認定生殖医療専門医。日本人類遺伝学会認定臨床遺伝専門医。

2017年の出生数は94万6065人。人口減少が続く中、出産可能年齢の女性も減っているが、同年に不妊治療の一つである体外受精で生まれた子は、5万6617人（日本産科婦人科学会調べ）で過去最多を更新した。これは、出生児16.7人に1人の割合。生殖補助医療の進歩とともに、不妊治療への関心や意欲が高まり、社会的支援がその要因とみられる。不妊治療の最新の動向について、県立広島病院生殖医療科の原鐵晃主任部長に話を伺った。

妊娠には適齢期がある

　不妊とは、妊娠を望んで性生活を継続しているにもかかわらず、一定期間（1年間）妊娠しない状態をいいます。不妊・不育の原因は、女性では子宮、卵管、卵巣機能の問題のほか、年齢が大きく関わっています。また、内科的な疾患（糖尿病、高血圧など）も妊孕性（妊娠しやすさ）に影響します。

男性では、精子をつくる機能の低下が最も問題となります。

　「妊娠には適した時期がある」ということは少しずつ浸透してきましたが、一方で、「子どもを望めばいつでも妊娠できる」と考える人も少なからずいます。しかし、年齢が上がると卵子も歳をとり、35歳を過

ぎた頃から妊娠しにくくなります。

　卵巣内にある卵子の数は、女性が生まれたときには約200万個ありますが、排卵が起こり始める思春期頃には約30〜50万個まで減り、その後も日々減少していきます。加齢とともに質も低下し、さらに、妊娠の妨げになる婦人科疾患や内科疾患のリスクも高くなります。子どもを望むなら、1年以上妊娠しない場合（35歳以上の方なら半年以上）は、妊娠しにくくなる要因がないか検査を行うことが大切です。

不妊治療の３つの方法 ──「性交指導」「人工授精」「体外受精」

　不妊治療は、①排卵を予測して性交の時期を指導する方法、②人工授精（じゅせい）（排卵時期に合わせて、精子を直接子宮内へ注入する）、③体外受精（じゅせい）（卵子と精子を体外に取り出して受精させ、受精卵〈胚〉（はい）を子宮内に戻す）の３つに大別できます。

　①と②は妊娠しやすい状態をつくり出すようにしますが、あくまでも、精子と卵子が体内の卵管で受精することをめざすものです。③の体外受精は、①②と比べて受精する確率はかなり高いですが、非生理的な部分があるため細心の注意を払わなければなりません。

　体外受精には、一般的な方法（成熟した卵子を採取して培養液に移し、調整した精子を近くに置いて受精を待つ）と顕微授精（一つの精子を選んで、卵子に細い針で注入して受精させる）があります。後者は、通常の方法では受精しないケースや精子の濃度や運動率に問題があるなど、男性側に原因がある場合が対象になります。

　体外受精は、卵巣刺激と採卵を伴うため女性の負担が大きくなります。複数個の卵胞（卵子の入っている袋）を育てるため２週間ほど注射をしますが、その間は頻繁に通院していただき、卵胞の大きさやホルモンの値をチェックします。

　現在では、10年前と比べて働く女性が明らかに増えているため、仕事と治療の両立が難しいケースが増えてきました。また、仕事を優先すると、良いタイミングで卵子が採取できないという事態も生じます。

年齢が高い人に「体外受精」が増えている

　日本産科婦人科学会の資料では、2017年の体外受精のための採卵回数は約24万5000回と、17年ぶりに前年より減少しています。これは、これまで治療を受けていた世代（いわゆる団塊ジュニア世代）が、治療を終える年代にさしかかった影響と考

えられます。一方、体外受精で誕生した子は出生児の16.7人に1人と、割合から見れば増加しており、必ずしも特殊な治療ではなくなっているといえます。

どの治療法を選択するかは、患者さんの状態で決まります。子宮、卵巣、卵管などについて必要な検査を行いますが、ホルモン検査や超音波（ちょうおんぱ）検査で、卵巣の中の卵子の数を評価することは特に大切です。個人差はありますが、年齢を重ねると出産につながる卵子が減り、受精しても育たない可能性があることは否めません。

しかし、患者さんが「35歳を過ぎたから直ちに体外受精」ということではなく、「自然妊娠できるならそれが望ましい」と私は考えており、そうした患者さんにも十分なサポートを行っています。

ただ、検査結果を基にその方にとっての最適な不妊治療を選んだ結果として、「年齢が高い人に体外受精が増えている」ことも事実です。広島県や、県内の各市町では体外受精などに治療費助成がありますので、治療しやすくなっているという一面もあります。

不妊治療全般にいえることですが、「職場をはじめとする社会全体に、治療への理解と認知が広がること」がとても重要です。不妊治療の増加を受けて、厚生労働省も仕事と不妊治療の両立支援を企業に働きかけています。

体外受精には「多胎リスク」や「未知の部分」がある

体外受精では、妊娠率を高めるために複数個の受精卵を子宮に戻した場合、多胎（たたい）（双子、三つ子など）のリスクが生じます。多胎は、早産の可能性が増えたり、脳性麻痺の発生率が大幅に高くなったりします（右下表）。

こうしたリスクを避けることはとても重要で、当院の場合、子宮内に戻す受精卵は患者さんの年齢や治療経過にもよりますが、基本的に1個としています。

また、夫婦のどちらかに染色体の形に変異があれば、「受精卵になったとしても育たない」「育っても着床しない」「着床しても流産してしまう」ことが多くなります。そうした習慣性流産の患者さんの場合は、着床前診断を行って流産しにくい受精卵を選んでいます。

	日本[*]	オーストラリア[**]
単胎児	－	0.16%
双胎児	0.8%	0.73%
品胎児	3.1%	2.79%
4胎児	11.1%	

[*] 横山ら　日公衆衛生誌　42:187-193,1995.
[**]Chang C Acta Genet Med Gemellol 39: 501-505,1990.

表　多胎児における脳性麻痺の発生率

受精卵は、細胞分裂しながら発育していくのですが、新しい技術のタイムプラス培養器（ばいようき）を用いると、培養期間中は継続して撮影を行い、その成長過程を動画で観察することができるようになりました。これを活用することで豊富に情報を得ることができ、妊娠の可能性がより高い胚を選ぶことが可能になっています。

体外受精では、1978年に世界で最初の赤ちゃんが生まれ、その子は成長して自然妊娠し出産したという嬉しい報告があります。その女性は現在41歳で、体外受精で生まれた人の中では最高齢ですが、これから先のことはわかりません。そのため、体外受精はそうした「未知の部分を含んだ医療」ということを意識しておく必要があります。

不妊治療は妊娠・出産がゴールではなく、生まれた子が成長し、次の世代の子を出産できるかどうかまで慎重にみていくことが大切です。

不妊症で受診するにあたって

不妊症は、一般の病気と同じように不妊という主訴に対して検査、診断、治療を行います。しかし、「不妊症で受診する」ことは、一般の病気のようにまずかかりつけ医にかかり、必要なら専門の病院へ紹介してもらうという、「通常の病診連携システムとは少し異なる」ということを認識しておいていただきたいです。

不妊症の治療施設は、①人工授精までの一般不妊治療を行い、体外受精は行っていない施設、②体外受精・胚移植も行っている施設、③体外受精・胚移植とともに、子宮筋腫（きんしゅ）や子宮内膜症（ないまくしょう）など不妊や不育に関連する妊孕能を改善するための手術も行っている施設、の3種類に分けられます。②③の体外受精・胚移植は、日本産科婦人科学会に登録された施設で行われます。広島県内で②に該当するのはクリニック・医院の8施設、③は県立広島病院のみとなっています。

いずれの施設でも受診は可能ですが、施設によって治療方針や方法が異なります。診察を受け、もし必要なら体外受精も考えておられる場合は、初めからそうした専門の治療ができる施設を選択肢の一つにされるのもいいかもしれません。

35歳以上かどうかなど年齢にもよりますが、一般不妊治療を半年～1年続けても妊娠しない場合には、紹介先をたくさん持っていて、選択肢を広げてくれる施設を受診されるのが良いのではないでしょうか。

広島市南区

赤ちゃんを望むお二人の笑顔のために

IVF クリニックひろしま

滝口 修司　院長

▎主な診療内容

○体外受精・顕微授精・胚移植
○卵管鏡下卵管形成術
○一般不妊治療
○男性不妊外来

▎クリニックの強み

○多数の不妊診療経験を活かした、科学的根拠に基づく不妊治療

○「見える化」により管理された高度な胚培養技術

○心のケアを重視した、さみしくない治療環境

診療時間	月	火	水	木	金	土	日
9：00〜13：20	○	○※1	○	○	○※1	○	休診
14：30〜18：30	○	休診※3	○	○※2	休診	○※2	休診

＊祝日は休診　＊男性不妊外来／月2回開設（非常勤）
※1．13：00まで　※2．17：30まで
※3．月・水曜のいずれかが祝日の場合、該当週の火曜は午後診療あり（18：30まで）

▎**住　所**　広島市南区松原町5-1
　　　　　BIG FRONT ひろしま 4F

TEL　082-264-1131

HP　https://ivf-hiroshima.jp/

駐車場　なし　※近隣駐車場をご利用ください

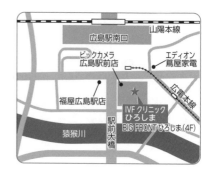

不妊に悩む夫婦の割合は、10組に1組とも5組に1組ともいわれている。そのような中で、同院は、2017年1月、JR広島駅の南口正面に建つ超高層ビル「BIG FRONTひろしま」4階に、不妊診療専門クリニックとしてオープンした。

体外受精、顕微授精などの高度生殖補助医療を中心に、不妊に悩む夫婦に対して不妊治療を展開。また、体外受精以外の選択肢として、卵管鏡下卵管形成術にも力を入れている。さらに、月に2回、泌尿器科の生殖医療専門医による男性不妊外来を開設している。

クリニックの概要

診療科目と領域

不妊症とは、ある一定期間（1年間）避妊することなく通常の性交を継続的に行っているにもかかわらず、妊娠の成立をみない状態を指す。不妊症の原因はさまざまだが、男性側の原因が48％とされており、女性だけではなく男性にも必ず検査を受けてもらっている。しかし、明らかな不妊原因は見つからない夫婦が多く、たとえ見つかっても主原因ではないことがほとんどのため、原因を調べる検査と並行して、初診時から治療を開始している。

実施している治療は、タイミング法から始まり、人工授精、卵管鏡下卵管形成術、体外受精・顕微授精、融解胚移植など、不妊治療全般にわたっている。さらに、月

2回の男性不妊外来において、精索静脈瘤や造精機能障害・無精子症などの男性不妊にも対応している。

診療ポリシー

「子どもを持ちたい」という夫婦二人の想いに応えるために、高度な生殖医療を提供し、できるだけ早く妊娠・出産できるように全力を尽くしている。同時に、妊娠という結果のみを追い求めるあまり、女性が辛さや孤独を一人で抱えこんだままになることがないように、心のケアを重視しながら、夫婦二人の絆を支えるサポーターに徹したいと考えている。院長のそうした思いを、看護師をはじめスタッフ全員が共有し、患者の心のケアに努めている。

待合室

診察室

パート1
乳腺診療

パート2
産科・婦人科

パート3
不妊診療

パート4
検診施設

診療の特色・内容

不妊検査で異常が見つからなくても安心してはいけない

　近年、検査では原因が見つからない不妊（原因不明不妊）が増えている。しかし、見つけることができないだけで、原因はどこかに潜んでいる。

　基本的な不妊検査、例えば卵管造影検査では卵管の状態（疎通性：詰まっているか否か）は分かるが、排卵した卵子が卵管に取り込まれたかどうかを確認できる検査はない。また、精液検査で精子の数や運動性は分かるが、その精子に受精能力があるかどうかは判断できない。さらに、精子と卵子が出合っても、何らかの原因で受精できない「受精障害」であるかどうかについては、調べる検査がない。しかし、このような受精障害の場合、タイミング法や人工授精などの自然な受精に依存した治療では、いつまでたっても妊娠には至らない。

　不妊検査では異常が見つからなかったにもかかわらず、なかなか妊娠に至らない場合、先の見えない不安に押しつぶされそうになり、不妊治療はとても辛いものになってしまう。「検査で異常が見つからないほうが、その後の治療が難しい可能性を、最初からお話しするようにしています」と、滝口院長は語る。

いつステップアップするかがカギを握る

　不妊の原因が見つからないならば、どうすれば妊娠に少しでも近づくことができるのだろうか。それは、「ステップアップ」という治療方針である。タイミング法や人工授精での妊娠に執着しすぎず、思い切って一段階強めの治療である体外受精・顕微授精にステップアップすることが、妊娠への決め手になることがある。

　では、どのタイミングでステップアップすればよいのだろうか。2017年2月～2020年4月に同院で実施された人工授精の成績（治療回数別）によると、3回目の人工授精までは新たに妊娠する人が増加するが、4回目以降はあまり増加せず、6回目以降は横ばいとなる（図1）。つまり、人工授精が有効なのは3回目までであり、6回目以降はあまり有効とはいえない。

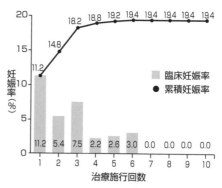

図1　人工授精の治療回数別の妊娠率
　　　（同院、2017年2月～2020年4月）

ステップアップの決断は年齢とAMHを参考に

「ステップアップのタイミングは、画一的に捉えてはいけません」と、院長。

まず考えるべきことは、女性の年齢の上昇に伴う妊娠率の低下、卵子の老化である。2017年2月～2020年4月に同院で実施された人工授精の成績（年齢別）によると、人工授精で妊娠できた人は、30歳未満は3人に1人、30～34歳は4人に1人、35～39歳は6人に1人で、加齢とともに徐々に低下し、40歳以上では29人に1人と急激に低下した（図2）。

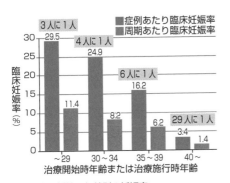

図2　人工授精の年齢別の妊娠率
　　　（同院、2017年2月～2020年4月）

つまり、卵子の老化に伴い、40歳代になると人工授精での妊娠率は30歳未満の10分の1以下に低下してしまうという結果だ。このことを考慮すると、「年齢によっては、早めに人工授精から体外受精にステップアップを検討するべき」と院長は考える。

もう一つ考慮すべきことは、卵子の減少という問題である。女性は、母親の胎内で、

胎生5か月までは卵子をつくっている。しかし、5か月以降卵子はもうつくられなくなっている。しかも、卵子は毎日30～40個ずつ消えてなくなっていくことが知られている。卵子がなくなってしまっては、妊娠したくても妊娠できないため、卵子の残り数を知ることは、不妊治療をする上でとても大切である。

卵巣の中にどれぐらい卵子が残っているかの目安（卵巣予備能）の一つとして、AMH（アンチミューラリアンホルモン）がある。AMHは初期の発育段階の卵胞から分泌されるホルモンで、血液中のAMH値を測ることで卵巣予備能を知ることができる。卵子の残り数が少ない場合は、より妊娠率の高い治療からスタートするべきだと考えられる。

「年齢とAMH値によって治療の方針を変える、オーダーメイドな治療が必要です」と、院長は話す。

培養室内の作業を「見える化」

卵子と精子を出合わせて受精卵（胚）をつくる授精操作は、培養室の中で行われる。

培養室

同院の培養室は、卵子にやさしい環境を保つよう設計されているが、それ以上に誇りとしているのが、培養室で働く胚培養士の意識の高さ。培養室は「もともとクリーンな部屋」なのではなく、「皆でクリーンに保つ努力を続ける部屋」であると考えている。スタッフ全員がこの理念を共有し、クリーンな培養環境を維持するための努力を継続。培養室内の作業の「見える化」を図り、胚培養士の技術指導・精神教育を重視している。

DATA

診療科目	診療・検査内容
一般不妊治療	タイミング法、人工授精、卵管鏡下卵管形成術、子宮鏡検査、子宮卵管造影検査
生殖補助医療	体外受精、顕微授精、胚凍結、胚融解、胚移植、卵子凍結、精子凍結
男性不妊外来	精索静脈瘤手術、精巣内精子採取術（TESE）、非内分泌的療法、内分泌的療法
沿革	2017年1月開院
スタッフ	産婦人科医1人、泌尿器科医（非常勤）1人、臨床心理士（生殖心理カウンセラー、非常勤）1人、胚培養士3人、臨床検査技師1人、看護師7人、生殖医療相談士2人、体外受精コーディネーター1人［2020年6月時点］
設備	胚培養室（クリーンルーム）、タイムラプス・インキュベーター、顕微授精システム、精子運動解析装置、X線透視装置、超音波診断装置
認定	日本産科婦人科学会着床前診断実施施設、広島市不妊治療費助成事業指定医療機関
連携病院	県立広島病院、土谷総合病院、広島赤十字・原爆病院、中電病院
実績	体外受精・胚移植 　採卵305件、胚移植441件［2019年1月〜12月］ 　採卵268件、胚移植338件［2018年1月〜12月］ 　採卵152件、胚移植126件［2017年3月〜12月］ 融解胚移植の臨床妊娠率［2017年3月〜2019年12月］ 　初期胚移植23.3%、胚盤胞移植50.7%、二段階胚移植57.1% 人工授精1345件、症例あたり臨床妊娠率20.0%（全年齢）［2017年2月〜2020年4月］
特記事項	強さ（高技術・好成績）と優しさ（心のケア・対話を大切にした診療）を併せ持った生殖医療をめざしています

PROFILE

滝口 修司 院長
（たきぐち・しゅうじ）

経　　歴	1992 年山口大学医学部卒。1999 年山口大学大学院修了。山口大学病院、山口県厚生連小郡第一総合病院、済生会山口総合病院、City of Hope（米国）、正岡病院、浅田レディースクリニック（名古屋市）、英ウィメンズクリニック（神戸市）などを経て、2017 年 IVF クリニックひろしま開院。医学博士。
資　　格	日本産科婦人科学会認定産婦人科専門医、日本生殖医学会認定生殖医療専門医、母体保護法指定医
趣　　味	草野球（9 番ライトです。今はあまり参加できていません）、映画鑑賞
モットー	お二人の笑顔のために……

院長の横顔

　院長は、広島市で生まれ育った。産婦人科医を志したのは、広島赤十字・原爆病院で産婦人科医を勤めていた父親の影響が少なからずあったようだ。山口大学大学院で生殖内分泌班に入ったことから、生殖医療に携わるようになった。当時はまだ、今のような高性能なインキュベーターがない時代。採卵の翌朝、実験前に病棟に出向いて受精の確認をしては、一喜一憂する日々だった。その 17 年後、名古屋市の浅田レディースクリニックで、高度で先進的な不妊治療を学んだ。その 5 年間の経験は、何物にも代えがたい貴重な財産だという。

院長からのメッセージ

　晩婚化や晩産化に伴い、卵子の老化に起因した不妊が増えています。限られた治療期間で、できるだけ早く妊娠していただけることを目標に、可能な限り無駄を排して、より適切な治療方針を提案していきます。

　当院の提供する治療の過程で、ご夫婦の絆が深まり、その結果として新しい生命を育むことができるならば、こんなに素晴らしいことはありません。夢に向かって、私たちと一緒に、最初の一歩を踏み出しましょう。

福山市新涯町

一般不妊治療から高度生殖医療まで幅広い対応でサポート

よしだレディースクリニック内科・小児科

吉田 壮一 院長

主な診療内容

○不妊検査、一般不妊治療、高度不妊治療、不育症治療
○妊婦健診、正常分娩、帝王切開
○子宮がん、卵巣がん、子宮筋腫、子宮内膜症、生理不順
○内科、小児科、消化器内科

クリニックの強み

○不妊治療を専門としながら、正常分娩にも対応

○夫婦ごとに合わせた、テーラーメイドの治療を提供

○栄養管理や東洋医学を取り入れた、統合的なサポート

診療時間	月	火	水	木	金	土	日
9：00〜12：30	○	○	○	○	○	○	休診
15：00〜18：00	○	○	○	休診	○	休診	休診

＊祝日は休診　＊臨時休診はHP・配信メール・院内掲示などで通知
＊2月〜12月／第1火曜午後休診（祝日の場合、第2火曜が休診）
※女性医師（HPに掲載）をご希望の場合は、事前連絡および来院時に受付で相談可

住　所　福山市新涯町 3-19-36

TEL　084-954-0341

HP　http://yoshida-ladies.net/

駐車場　あり（50台）

142

● タイミング指導、人工授精などの一般不妊治療から体外授精、顕微授精などの高度生殖医療まで、幅広い不妊治療を行っている。県東部はもとより、県北や岡山県西部など、遠方からの通院も多い。安心して受けられる丁寧な診療を心がけ、管理栄養士による栄養相談や東洋医学を取り入れるなど、妊娠に向けた統合的なサポートに定評がある。また出産設備も整っており、内科・小児科が併設されているのも心強い。

クリニックの概要

診療科目と領域

　なるべく自然に近い形での妊娠を基本とするため、①タイミング法（指導）、②人工授精（体内受精）、③体外受精・顕微授精、胚移植、へとステップアップ。しかし、子宮内膜や受精卵に問題がある場合には、高度な不妊治療を行っても妊娠しにくいケースもあるため、子宮内膜の状態を調べる検査や、着床前診断（PGT-A：受精卵の染色体数を検査）、多血小板血漿（PRP）療法などの最新医療を、患者一人ひとりに合わせて取り入れている。

　また、不妊治療で妊娠した女性の正常分娩にも対応。治療を担当した医師・スタッフが妊娠後も継続的に診ながら出産できる環境は、患者の大きな安心感につながっている。

診療ポリシー

　吉田院長は、安心して治療を受けてもらえるよう丁寧な分かりやすい説明を心がけている。夫婦ごとに「年齢」「不妊の原因」「ライフスタイル」などは異なるため、治療前に十分に話をすることで、それぞれに適したテーラーメイド治療（個人差に配慮した適切な治療）の提供に努める。

　一般不妊検査・治療から高度不妊治療まで、必要な技術と設備を揃え、高い意識を持って、ともに妊娠に向けた治療に取り組んでいく態勢だ。

待合室

ラウンジ

パート1
乳腺診療

パート2
産科・婦人科

パート3
不妊診療

パート4
検診施設

診療の特色・内容

基本はタイミング法からスタート

不妊症の原因は、女性側にも男性側にも考えられるため、検査には夫婦で来院してもらうことが重要。子宮がん検診や超音波検査、ホルモン検査、子宮卵管造影などの女性の検査と、男性の精液検査、必要な場合は男性側のホルモン検査などを行う。

また、妊娠に向けての体づくりも大切と考え、管理栄養士による栄養相談や、漢方薬・鍼灸などを使った東洋医学も取り入れて、妊娠に向け統合的にサポートしていく。

なるべく自然に近い形での妊娠をしてもらうため、不妊治療はタイミング法から始める。卵子が受精可能な時間は、排卵後12～24時間しかないため、正確な排卵日を予測することが必要となる。超音波検査で卵胞の大きさを測ったり、ホルモン検査などを行って、受精可能な時期にタイミングを合わせていく。

筋腫や子宮内膜にポリープなどの病変が

あって着床の障害となる場合は、取り除く処置を行う。検査で排卵が起こっていないことが分かったときには、内服薬や注射による排卵誘発を行うこともある。

タイミング法や排卵誘発でうまくいかない場合は、人工授精に進む。洗浄した精液をカテーテルで子宮に注入する方法で、精液検査などの所見が悪いときにも適応となる。人工授精も排卵のタイミングに合わせて行う。

質の高い生殖補助技術を提供

「人工授精を4～6回行っても妊娠成立しない」「卵管が詰まっている」「精液検査の所見が悪い」といった場合は、夫婦の希望を踏まえた上で、体外受精（卵子と精子を取り出して培養液の中で受精させ、受精卵〈胚〉として子宮に戻す）など高度不妊治療を検討していく。

精子の数が極端に少ない場合などは、顕微受精（卵子の中に直接精子を送り込む）となる。胚移植（培養液の中で育てた胚を子宮内に戻す）では、凍結融解胚移植（受精卵を一時凍結保存した後、妊娠の可能性が高い別の周期に融解して移植）が最近の主流となっている。体外受精や顕微授精とそれに関連する高度不妊治療を含めて、生殖補助技術（ART：Assisted Reproductive Techniques）といい、一般的な不妊治療とは異なって保険適用外。

タイムラプスインキュベータ
顕微鏡とカメラが取り付けられた培養器。培養中の受精卵の発育過程を動画として確認できる。胚にストレスを与えることなく培養でき、発育が順調なより良好な胚を選別可能。

培養室

質の高い ART を提供するためには、良い環境で胚を培養することが必須条件で、医師や看護師の経験、胚培養士の技術・意識の高さが欠かせない。同院では、採卵室や培養室はクリーンルーム仕様とし、4人の胚培養士が意識を高く持って勤務。院長自ら技術レベルのチェックや精度管理も行い、技術・設備ともに、夫婦ごとに最善の治療法を選択できるよう準備を整えている。

妊娠の確率を高めるために（ERA®）

体外受精を成功に導くためには、子宮内膜が胚を受け入れる最適な状態であることも重要だが、子宮内膜には"着床の窓"と呼ばれる胚を受け入れやすい時期があり、その時期は一人ひとり異なる。

子宮内膜着床能検査（ERA® エラ検査）は、子宮内膜の遺伝子解析を行うことで、患者各々の着床に適した時期を知ることができる検査である。

さらに、着床障害や流産には、子宮内膜を良い状態に保つ乳酸菌の割合が少ない場合や、子宮内膜の慢性的な感染・炎症が関連することが知られている。

子宮内膜マイクロバイオーム検査（EMMA：エマ）で、子宮内膜組織中の乳酸菌などの割合を調べたり、感染性慢性子宮内膜炎検査（ALICE：アリス）で、病原菌の有無と割合を検査することで適切な治療の提案につなげていく。

新しい検査・治療への取り組み（PGT-A、PRP療法）

体外受精が成功に至らない原因の一つに、受精卵の染色体異常が考えられている。受精卵の染色体異常は 20 歳代でも 30％前後みられ、高齢になるほどその割合は高くなるが、このような受精卵は、移植しても着床しなかったり流産に終わる。

着床前胚染色体異数性検査（PGT-A）は、移植前に受精卵の染色体数を検査し、正常なものを移植することで妊娠の可能性を高めようとする試みだ。すでに海外では行われており、体外受精の妊娠率を改善するデータが集積されつつある。

国内では、倫理的な観点からこれまで禁止されていたが、最近、日本産科婦人科学会の主導により、認定施設でのみ共同臨床研究という形で実施可能になった。同院もこの共同研究に参加しており、過去2回以上の体外受精を行っても妊娠に至らなかった場合などの適応を順守して行っている。

近年、注目されている治療法として、多血小板血漿（PRP）を用いた不妊治療がある。これは、自分の血液中に含まれる血小

板を精製し、子宮内膜へ注入することで、子宮内膜を厚くしたり、子宮内環境を改善する効果が期待される治療法。

PRPは、サイトカインや細胞増殖因子（血管新生や細胞増殖を促進する成分）を分泌

するが、その組織修正能力を利用して子宮の内膜細胞を活性化していく。自由診療となるが、同院では厚生労働省の認可を受け、この再生医療の提供を2020年4月より開始している。

DATA

診療科目	診療・検査内容
不妊・不育症治療	不妊検査（ホルモン検査、子宮卵管造影検査、精液検査など）、一般不妊治療（タイミング指導、人工授精）、高度不妊治療（体外受精、顕微授精、胚移植など）、不育症治療 など
産科	妊婦健診、正常分娩、帝王切開 など
婦人科	子宮がん、卵巣がん、子宮筋腫、生理不順などの婦人科疾患全般
内科・小児科・消化器内科	生活習慣病（糖尿病・高血圧・高脂血症）に関する健康相談、乳幼児の健康相談、各種検診、人間ドック、乳幼児健診、予防接種
沿革	2006年7月開院（併設：内科・小児科）
スタッフ	産婦人科医5人（常勤1人・非常勤4人〈うち女性2人〉）、内科・小児科医1人（常勤、女性）、助産師2人、看護師12人、胚培養士4人、臨床検査技師2人［2020年6月時点］
ベッド数	10床（個室8床）
設備	ホルモン迅速測定器、タイムラプスインキュベータ、顕微授精機器（ピエゾ装置）、レーザーアシステッドハッチング（レーザー孵化補助）装置、4D超音波診断装置、X線診断装置、出産設備
認定	厚生労働省再生医療等提供医療機関。日本産科婦人科学会「PGT-A特別臨床研究」研究分担施設、医学的適応による未受精卵子、胚（受精卵）の凍結保存に関する登録施設
連携病院	福山医療センター、福山市民病院、中国中央病院、倉敷成人病センター、JA尾道総合病院、三原赤十字病院
実績	体外受精・胚移植／518例、顕微授精／156例、妊娠率／40.5％（対移植あたり）［2019年4月〜2020年3月］
特記事項	新しい検査・治療法にも積極的に取り組んでいる。内科・小児科を併設

PROFILE

吉田 壮一 院長
（よしだ・そういち）

経　　歴	1966年尾道市生まれ。1990年鳥取大学医学部卒。鳥取大学医学部産科婦人科学教室入局。1996年鳥取大学大学院修了。豪州・モナッシュ大学（高度生殖医療研修）、鳥取大学医学部学部内講師・女性診療科外来医長・産科病棟指導医などを経て、2006年同院開院。医学博士。専門分野は不妊生殖医療、産科。
資　　格	日本産科婦人科学会認定産婦人科専門医、日本生殖医学会認定生殖医療専門医、母体保護法指定医
趣　　味	サイクリング、食べ歩き（特にラーメン）
モットー	笑う門には福来る

院長の横顔

　院長は尾道市の生まれで、実家は祖父の代から産婦人科医院を営んでいた。自宅と医院が同じ建物内にあったため、幼い頃からお産が身近で、「赤ちゃんが生まれる幸せな瞬間に立ち会えるのは、魅力的な仕事」と感じていたという。

　医学部に入った頃は生殖医療の黎明期で、顕微授精はまだ研究段階だったが、初めて受精卵が発育していくのを見たとき、その神秘的な美しさに感動した。「未来を生きる子どもを授かり、生み、育むという、大切なことのお手伝いができる素晴らしい仕事」と、改めて思ったという。

院長からのメッセージ

　不妊症や不育症で悩まれている方に、系統的な検査、原因に基づいた治療を行っています。新しい技術を導入するとともに、安心して治療を受けていただけるよう丁寧な説明を心がけています。栄養学、東洋医学なども取り入れて、統合的に妊活をサポートいたします。

　治療を進めていく上で不安がある場合は、スタッフによる不妊相談も行っています。お子さまは、ご夫婦二人で授かるもの。お互いの協力が一番の力になります。ぜひ、ご夫婦でご相談ください。

パート4
検診施設

広島市中区

全員女性スタッフで対応する、女性限定のレディースデイが好評

広島県環境保健協会 健康クリニック

▌主な検査項目／内容

〇乳がん検診／マンモグラフィ、乳腺エコー、ミアテスト

〇子宮頸がん検診／内診、子宮頸部細胞診、
　婦人科経腟エコー検査、CA125検査、HPV検査

〇人間ドック、健康診断

広島県環境保健協会 (かんほきょう) とは

　1966年に県内で初の子宮がん検診のための婦人科検診車を導入し、1978年に人間ドックを開始。女性のための健診、生活習慣病予防のための検査、がんのリスクチェックなど、オプション検査が充実している。健診だけでなく、精密検査等二次検査にも対応し、生活や栄養指導、高血圧、糖尿病などの慢性疾患の治療等、健診後のフォローにも注力。2018年度人間ドック受診者の2019年度リピート率は78％と非常に高い。

　毎月一度（火曜）の人間ドックと乳がん・子宮がん検診を受診できる女性限定の「レディースデイ」は、女性医師・女性スタッフが対応し、好評だ。

〈乳がん検診〉

予約受付時間	月	火	水	木	金	土	日
9：00～17：00	〇	〇	〇	〇	〇	第3土曜のみ	休診

＊祝日は休診　＊婦人科検診は月～土曜
＊人間ドックレディースデイ／原則、毎月第1火曜（予約制）

▌**住　所**　広島市中区広瀬北町9-1
TEL　082-232-4857
HP　https://www.kanhokyo.or.jp
駐車場　あり（30台）

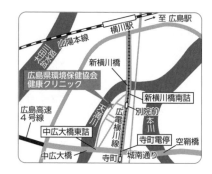

乳腺専門医との連携で安心の乳がん検診

　乳がん検診では、マンモグラフィ検査と乳腺超音波（乳腺エコー）検査を行っている。マンモグラフィ検査は 40 歳以上の女性に勧め、マンモグラフィの経験豊富な診療放射線技師が撮影。読影は広島大学病院乳腺外科の乳腺専門医が行う。乳腺組織が発達した 40 歳未満の女性には乳腺エコー検査を勧めており、乳腺エコーの高い技術を持つ技師がチェック。疑わしい症例は広島大学病院や広島市民病院、乳腺専門クリニックなどに紹介する。

　マンモグラフィ検査に乳腺エコー検査を加えた併用検診もあり、早期乳がんの発見率が 1.5 倍になるといわれる。併用検診に、ミアテスト（血液から乳がん発症前の兆候を解析してリスクを判定）をセットすることもでき、より早期の段階でリスクを発見できる可能性がある。

子宮頸がん検診はオプションが多数

　最近は若年層でも子宮頸がん、前がん病変になる人が増えている。20 歳以上の女性には子宮頸がん検診を勧めている。さらにオプションとして、子宮や卵巣の状態を確認する婦人科経腟エコー検査、婦人科系の臓器に多発するがんの腫瘍マーカー「CA125」の検査、子宮頸がんの原因となる HPV 感染を調べる検査もセットで受診することが可能だ。

広々とした検査フロア（窓から天満川の風景が望める）

DATA

沿革	1966 年診療所開設、1978 年人間ドック開設
スタッフ	医師 8 人（常勤）、マンモグラフィ読影医（広島大学病院へ外部委託）、看護師 6 人、診療放射線技師 6 人（うちマンモグラフィ技師 3 人）、乳腺超音波技師 3 人 [2020 年 6 月時点]
設備	マンモグラフィ、超音波画像診断装置、CT、胃部内視鏡
認定	日本人間ドック学会機能評価認定施設
連携病院・連携クリニック	広島大学病院、広島市民病院、県立広島病院、広島赤十字・原爆病院、土谷総合病院、乳腺専門クリニックなど
検診数	乳がん検診数／マンモグラフィ 3532 件、乳腺エコー 1629 件、甲状腺エコー 278 件　子宮頸がん検診数／ 4220 件 [2019 年 4 月〜 2020 年 3 月]

広島市中区

早期発見・早期治療につなげる検診で、地域の健康をサポート

広島中央健診所

■ 主な検査項目／内容

○乳がん検診／マンモグラフィ、視触診
　（マンモグラフィ併用）、超音波検査
○子宮頸がん検診／子宮頸部細胞診、内診、
　経腟超音波検査、HPV検査
○人間ドック、脳ドック、胸部CT検査、
　生活習慣病健診、定期健康診断

春田 るみ 乳腺科 科長
（はるた・るみ）

経歴 1982年広島大学医学部医学科卒。広島大学病院第2外科。1983年広島赤十字・原爆病院外科。1984年土谷総合病院外科。1986年広島大学病院第2外科。1987年一ノ瀬病院外科。1991年太田川病院外科。1994年後藤病院外科。2008年より現職。医学博士。

資格 日本外科学会認定外科専門医など

〈乳がん検診・子宮頸がん検診〉

診療時間	月	火	水	木	金	土	日
9：30～12：00	○	○	○	○	○	－	休診

＊祝日は休診　＊完全予約制　＊乳がん検診／火・金曜：春田るみ、月・水・木曜：広島大学病院 乳腺外科医師
＊子宮頸がん検診／月～木曜：和田康菜、金曜：広島大学病院 産婦人科医師

住　所 広島市中区八丁堀10-10
TEL 082-228-1177
HP http://h-chuuken.or.jp/
駐車場 あり（併設のカーパーク八丁堀をご利用ください）※受付にて、診療時間内の無料駐車券をお渡しします

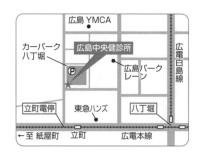

高い検診技術で乳がんの早期発見に努める

　同施設は広島市の中心街にあり、乳がん検診や子宮頸がん検診をはじめ、人間ドック、脳ドック、定期健診などが受けられる。

　近年、日本人女性の乳がん発症率は増える傾向にあり、同院ではマンモグラフィ検査に加えて、超音波検査などを併用し、早期発見に努めている。マンモグラフィ撮影と超音波検査は、いずれも女性技師が担当。マンモグラフィの読影は長年の経験と

受付スタッフ

正確さが要求されるため、医師2人で診断を行う。特に高濃度乳房の場合、次回検診時に超音波検査を追加することを推奨している。

デジタルデータ管理で継続的な診断が可能

　検診後、精密検査が必要になった場合は、紹介先へ詳細なデータを提供するだけでなく、その後のフォローも行っている。デジタルデータ管理により、過去に検診を受けたことがあれば、前回の画像と比較した継続的な診断が可能だ。春田科長は検診成績を分析してその研究を学会で発表するなど、学会全体の底上げにも尽力している。また医師をはじめ、検査技師、看護師らとともに症例検討会を行い、より高い検診技術を追求している。

DATA

沿革	1972年開院、1992年乳がん検診開始、2008年乳腺科開設
スタッフ	乳腺外科医1人（非常勤3人）、放射線科医1人、マンモグラフィ読影医2人（非常勤3人）、看護師2人、放射線技師ほか5人 [2020年6月時点]
設備	マンモグラフィ、超音波診断装置
認定	日本人間ドック学会機能評価認定施設、日本総合健診医学会優良認定施設
連携病院・連携クリニック	広島大学病院、県立広島病院、香川乳腺クリニック、ひろしま駅前乳腺クリニックなど
検診数	乳がん検診／5570例（マンモグラフィ4243例、超音波検査2171例）[2018年4月〜2019年3月]
特記事項	毎年、乳がん検診を担当するスタッフ全員で、発見されたがん症例の検討会を実施

広島市西区

個人個人に合わせた適切な検診が受けられる

アルパーク検診クリニック

主な検査項目／内容

○乳がん検診／マンモグラフィ、
　超音波検査、視触診
○子宮がん検診／子宮頸部細胞診、
　ヒトパピローマウイルス検査、内診
○人間ドック、内視鏡検査（胃、大腸）

受付

鍵本 修 院長
（かぎもと・おさむ）

経歴 1986年広島大学医学部卒。
広島大学原爆放射線医科学研究所
腫瘍外科、広島赤十字・原爆病院などを経て、
2003年より現職。医学博士。

資格 日本外科学会認定外科専門医など

小島 純 医師（外科）
（こじま・じゅん）

経歴 1997年新潟大学医学部卒。
広島大学原爆放射線医科学研究所
腫瘍外科、広島市立安佐市民病院外科などを経
て、2004年より同クリニック。

資格 日本外科学会認定外科専門医など

診療時間	月	火	水	木	金	土	日
8：00〜12：30	○	○	○	○	○	○	休診
13：30〜17：00	○	○	○	○	○	休診	休診

＊成人病検診・各種健康診断受付／8:00〜8:30・13:30、
　人間ドック受付／8:00〜10:00（月〜土曜、※土曜は午前のみ）
※完全予約制。人間ドックと同時に乳がん検診を受けられる方と、各種受診券をお持ちの方とで受付時間が
　異なります。事前にお問い合わせください。

住　所　広島市西区草津新町 2-26-1
　　　　　アルパーク東棟 9F・10F

TEL　082-501-1115

HP　http://hkenkoukai.jp/

駐車場　アルパーク駐車場（無料）

一人ひとりに合わせた検診プランを提案

　JR井口駅から徒歩5分にあるアルパークのオープン（1990年）と同時に開院したクリニック。乳がん検診や子宮がん検診、人間ドックなど、検診を主な診療としており（完全予約制）、乳房のタイプや年齢、リスク因子などを考慮し、適切な検診プランを提案してくれる。

異常が見つかったときは即座に次の対応へ

　マンモグラフィ検査は、患者一人ひとりの要望も重視しながら対応し、診察はマンモグラフィ読影の経験豊富な医師が行う。

　前回の検査画像やデータなどがあれば、比較しながら診断・判定を行う。マンモグラフィ、超音波（乳腺エコー）検査、視触診など一連の検査手順を最適化し、全データが揃い画像読影を行った上で診察が受けられる上、「診察中に気になる所見があれば、その場でエコー検査で確認することもできます」と鍵本院長。

　検査結果は当日説明し、高濃度乳房だった場合は次回のエコー検査の受診などの提案も欠かさない。治療ダメージを小さくするには早期発見が大切なため、「2年に1回ではなく、毎年の検診をお勧めします」と小島医師は語る。

眺めのいい待合室

DATA

沿革	1990年開院
スタッフ	医師2人（うち女性1人）、マンモグラフィ撮影技師2人（うち女性1人）、超音波検査技師11人（うち乳腺エコー担当5人）［2020年6月時点］
設備	マンモグラフィ、乳房用超音波画像診断装置
認定	日本人間ドック学会機能評価認定施設
連携病院・連携クリニック	広島大学病院、JA広島総合病院、県立広島病院、安佐市民病院、はつかいち乳腺クリニックなど
検診数	乳がん検診／マンモグラフィ5563例、超音波検査1069例、子宮がん検診／5372例［以上、2019年1月〜12月］
特記事項	推奨画像検査を個別に提案。再検査およびフォローアップ専用外来を設置

■装幀／クリエイティブ・コンセプト
■本文DTP／角屋克博　大原 剛
■図版／岡本善弘（アルフォンス）
■カバーイラスト／祖父江ヒロコ
■取材・執筆・撮影／野村恵利子　西本 恵　高畑八重子　桂 寿美江
■企画／流郷貞夫
■編集／本永鈴枝
■編集協力／橋口 環　石浜圭太

＊本書の編集にあたり、病院や診療所の医師および関係者の皆さまから多大なる
　ご協力をいただきました。お礼を申し上げます。
＊広島県の「かかりつけ医シリーズ・新版」を引き続き発行していく予定ですので、
　ご意見、ご要望がありましたら、編集部あてにハガキおよび南々社ホームページ
　にお寄せください。

新版 女性のための かかりつけ医 広島
── かかりつけ医シリーズ❶ 乳がん 産科・婦人科 不妊診療

2020年8月1日 初版 第1刷

編　著／医療評価ガイド編集部
発行者／西元俊典
発行所／有限会社 南々社
　　　　〒732-0048 広島市東区山根町 27-2
　　　　TEL.082-261-8243　FAX.082-261-8647
　　　　振替 01330-0-62498

印刷製本所／モリモト印刷株式会社
＊定価はカバーに表示してあります。